AÏNAKO

ARIANE CHARLAND

# Le sang des gnomes

**Catalogage avant publication de Bibliothèque et Archives nationales du Québec et Bibliothèque et Archives Canada**

Charland, Ariane

Aïnako

Sommaire: 1. La voleuse de lumière -- 2. Le sang des gnomes.
Pour les jeunes de 13 ans et plus.

ISBN 978-2-89435-572-5 (v. 1)
ISBN 978-2-89435-585-5 (v. 1)
ISBN 978-2-89435-573-2 (v. 2)

I. Titre. II. Titre: La voleuse de lumière. III. Titre: Le sang des gnomes.

PS8605.H368A76 2012 jC843'.6 C2012-940309-1
PS9605.H368A76 2012

*Illustration de la page couverture:* Boris Stoilov
*Infographie:* Marie-Ève Boisvert, Éd. Michel Quintin

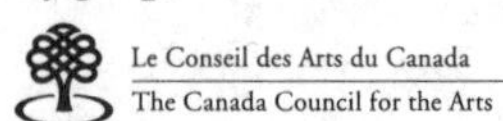

La publication de cet ouvrage a été réalisée grâce au soutien financier du Conseil des Arts du Canada et de la SODEC.

De plus, les Éditions Michel Quintin reconnaissent l'aide financière du gouvernement du Canada par l'entremise du Fonds du livre du Canada pour leurs activités d'édition.

Gouvernement du Québec – Programme de crédit d'impôt pour l'édition de livres – Gestion SODEC



ISBN 978-2-89435-573-2
Dépôt légal – Bibliothèque et Archives nationales du Québec, 2012
Dépôt légal – Bibliothèque et Archives Canada, 2012



Éditions Michel Quintin
C. P. 340, Waterloo (Québec)
Canada J0E 2N0
Tél.: 450 539-3774
Téléc.: 450 539-4905
editionsmichelquintin.ca

1 2 - G A - 1

Imprimé au Canada

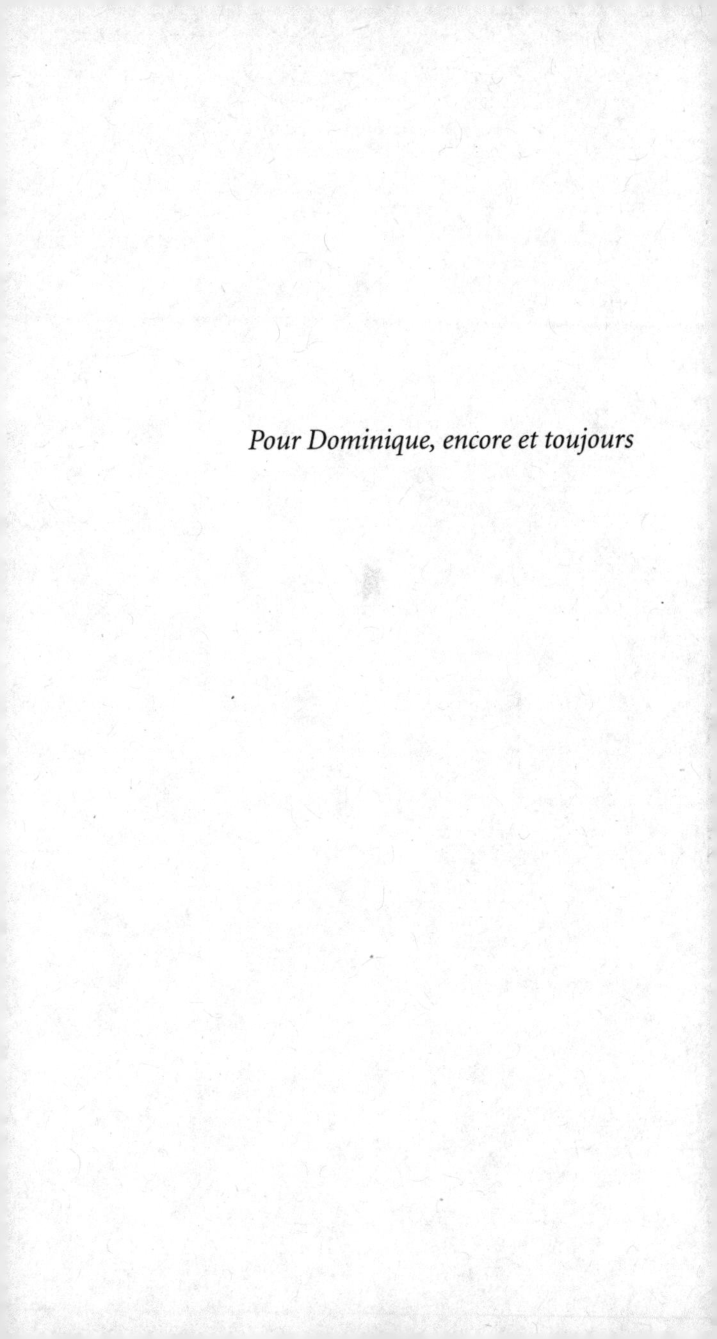

*Pour Dominique, encore et toujours*

# 1

# Tout détruire

Aïnako prit la petite pierre verte dans sa main pour mieux la voir. L'impression de déjà-vu qui la suivait depuis leur entrée dans le village se précisa encore un peu, ce qui n'était peut-être pas si étrange, vu que c'était le troisième village fantôme qu'ils traversaient en autant de jours.

— Viens, dit Naïké. Éléssan va encore nous réprimander si on se laisse trop distancer.

Aïnako regarda derrière elle et vit que les soldats chargés de l'arrière-garde les avaient presque rattrapées. Elle reposa la pierre contre l'écorce en s'assurant que la chaîne tenait encore à la branche où elle avait été accrochée. Naïké lui fit signe de passer devant et elle se donna un petit élan sur le tronc avant de se retourner sur le ventre pour se laisser planer. Le vent ne cessait de changer de direction et elle dut bientôt battre des ailes pour éviter de se faire emporter. Elle pouvait voir le reste de la troupe qui zigzaguait entre les feuilles. De loin, on aurait dit un essaim de papillons bigarrés.

On devinait parfois la silhouette d'une maison éventrée ou d'une plateforme brisée, mais la nature avait tout recouvert depuis longtemps. Partout, des branches avaient poussé, des feuilles avaient éclos, des animaux avaient fait leur nid. Les seuls indices prouvant que ces ruines n'étaient pas complètement abandonnées, c'était les objets, les fleurs et les souvenirs qui avaient été déposés au pied des arbres, accrochés aux branches, cachés sous les feuilles. Les elfes qui avaient habité là revenaient régulièrement pour rendre hommage à leurs amis et parents tués par l'armée de Shamguèn.

Aïnako alla rejoindre Kaï et Olian qui volaient à l'arrière du peloton, un peu en retrait, mais séparément, chacun semblant perdu dans ses propres pensées sombres. Ils se retournèrent en l'entendant approcher. Olian sourit d'un sourire automatique, mais ses yeux restèrent lointains, préoccupés. Kaï pointa une petite poupée à l'apparence humaine et secoua lentement ses boudins jaunes, les yeux pleins de révolte.

— Ils ont tué des enfants ! Il y a plein de jouets d'enfants !

Aïnako ne dit rien ; il n'y avait rien à dire, c'était trop horrible. Elle leva les yeux vers le ciel gonflé de nuages gris et pensa que le temps s'accordait parfaitement avec l'ambiance. Elle se demanda si Éléssan avait fait exprès de passer par là, pour que les soldats voient ce dont Taïs était capable. Mais Kaï et elle étaient les deux seules recrues qu'il avait choisies pour l'accompagner. Les autres avaient probablement déjà tous vu ce genre de choses, et peut-être même pire.

— Taïs devait être dans sa période noire, dit Naïké derrière elles. Tout de suite après la mort de son fils, quand elle tuait tout le monde sans discernement.

— Parce qu'elle a déjà fait autrement ? fit Aïnako avec une expression amère, en donnant un coup d'ailes pour éviter de foncer dans une branche.

— C'est vrai qu'elle n'a jamais été reconnue pour sa bonté d'âme. Mais, entre la mort de Tsamiel et l'armistice, elle était devenue un peu plus… molle. Enfin, disons qu'elle avait davantage tendance à attendre l'armée d'Élimbrel avant de passer à l'attaque.

— Et maintenant ?

— Disons qu'elle est entre les deux. Elle s'en prend encore aux villages, mais au moins elle a recommencé à faire des prisonniers au lieu de massacrer tout ce qui bouge…

— Enfin, la plupart du temps, dit Olian sans se retourner.

Il avait attaché ses tresses sur sa nuque et les muscles de ses mâchoires étaient contractés. Aïnako se rappela que l'armée de Shamguèn avait récemment assiégé plusieurs villages voisins du sien. Elle aurait voulu faire quelque chose pour le rassurer, lui dire qu'il n'avait pas à s'en faire, mais elle savait que ce n'aurait été que des paroles creuses; elle n'avait aucune idée de ce qui allait se passer, de ce qui se passait en ce moment même.

— Notre village est protégé, dit Naïké en se rapprochant de son neveu. L'armée de Shamguèn est dans le coin, c'est vrai, mais celle d'Élimbrel aussi. La meilleure chose qu'on peut faire pour aider tes parents et tous les autres, c'est de poursuivre notre mission.

Olian lui adressa un pâle sourire reconnaissant et Aïnako se demanda pourquoi elle n'avait pas pensé à ça elle-même. Olian savait bien que rien ne pouvait garantir le bien-être de ses parents. Il avait seulement besoin de se faire rappeler qu'il faisait tout ce qu'il pouvait pour eux, qu'il était encore plus utile là où il était que s'il avait été là-bas avec eux.

— Je sais, dit-il. Ça me rappelle des souvenirs, c'est tout.

— De toute façon, dit Kaï, que Taïs ait été dans sa période noire ou non n'aurait absolument rien changé. Ici, même si elle avait attendu des années, l'armée d'Élimbrel ne se serait jamais pointé le bout du nez.

Elle regarda les décombres recouverts de végétation autour d'elle. Ses yeux étincelaient encore de colère.

— Ce n'était pas un village, ajouta-t-elle, c'était un campement d'elfes sauvages.

La pluie se mit à tomber alors qu'ils montaient le camp, d'abord fine et légère, puis de plus en plus torrentielle. Le crépitement de l'eau sur les feuilles en était presque assourdissant. À chaque goutte, Aïnako avait l'impression de recevoir tout le contenu d'une baignoire sur la tête.

Les cent soldats dirigés par Éléssan étaient partis depuis huit jours, exactement deux semaines après la bataille de Lilibé, dans le but de se rendre en Shamguèn pour anéantir Taïs, leur ennemie jurée. Ils espéraient ainsi mettre fin à la guerre et à la prostration de Silmaëlle, plongée dans le coma depuis que la traîtresse lui avait ravi sa lumière. Ils dormaient chaque nuit dans des hamacs fermés comme des cocons qu'ils accrochaient eux-mêmes aux branches. Les hamacs étaient solides et imperméables, mais Aïnako ne s'était pas encore habituée à se faire ballotter toute la nuit au gré du vent, souvent violent, qui menaçait à tout moment d'arracher son hamac et de l'emporter avec lui.

— Il se prend pour qui, ce nouveau commandant? maugréa une petite elfe dont les cheveux ruisselants formaient un casque rouge et compact autour de son visage rond. Nous faire monter le camp par un temps pareil! Pourquoi est-ce qu'on ne dort pas dans une des haltes de l'armée? Je suis sûre qu'il y en a une dans le coin.

Aïnako regarda dans la direction où se trouvait Éléssan, à quelques arbres de distance, trop loin pour entendre quoi que ce soit à travers le vacarme de la pluie. Lui aussi était en train d'attacher son hamac entre deux branches. Elle aurait voulu répliquer que, si le commandant lui-même se résignait à se coucher complètement trempé, c'était qu'il avait certainement une bonne raison, mais elle préféra éviter la dispute. La fatigue rendait les soldats irritables et elle n'était pas vraiment la fille la plus populaire de l'armée.

La curiosité admirative qu'on avait manifestée à son égard les premiers jours suivant son entrée à l'Académie, à cause de son amitié avec le nouveau commandant et celle que tout le monde surnommait la Mygale, s'était rapidement transformée en jalousie mêlée de mépris lorsqu'elle avait été sélectionnée, elle, une recrue, pour faire partie de la compagnie spéciale chargée d'aller combattre Taïs en Shamguèn. Comme s'il s'agissait d'un privilège inouï que de partir risquer sa vie en territoire ennemi !

— Pourquoi le conseil royal n'a pas demandé à Handur d'être notre commandant ? rétorqua une voix nasillarde derrière Aïnako. Ou à n'importe quel autre ancien qui n'aurait pas abandonné le royaume pendant quatorze ans ? Comment ce petit pédant aux cheveux orange peut-il prétendre nous commander quand il ne nous connaît même pas ? Comment peut-il se dire concerné par le sort d'Élimbrel quand il a passé les dernières années à dormir et à méditer pendant qu'on se battait contre Taïs ? Il y a quelque chose de louche dans cette élection, je vous le dis !

Cette fois, Aïnako se retourna pour foudroyer du regard celui qui venait de parler.

— Retire tes paroles.

— Sinon quoi ? fit l'autre en riant méchamment. Tu vas tout rapporter à ton petit copain ?

— Je vais te les faire ravaler.

Les innombrables heures qu'elle avait passées à suivre l'entraînement de l'Académie et à se soumettre aux enseignements privés et autrement exigeants de Naïké avaient aiguisé son caractère en même temps que sa force.

L'autre eut un sourire mesquin et fit apparaître une sphère orangée dans sa main. Aïnako savait qu'il n'aurait jamais osé la menacer ainsi si Naïké avait été là, mais la Mygale faisait partie du premier tour de garde et, pour une rare fois, ne se trouvait pas auprès de son « œuvre de charité », comme certains se plaisaient à l'appeler.

— Eh ! oh ! du calme, s'interposa Kaï qui venait de finir d'installer son hamac près de celui d'Aïnako. On est tous épuisés, mais ce n'est pas une raison pour se taper dessus.

— Oh, toi, l'elfe sauvage, on t'a pas sonnée, dit un autre soldat.

Kaï non plus n'était pas très aimée.

— Et ça ne change rien au fait que le commandant ne devrait pas nous faire dormir à la pluie, ajouta la petite elfe aux cheveux rouges d'un air hautain.

— Vous savez très bien pourquoi le commandant tenait à ce qu'on monte le camp ici, gronda une voix furieuse au-dessus de leurs têtes.

— Maître Handur, s'empourpra celui qui avait insulté Éléssan. Je disais juste à quel point vous feriez un excellent commandant.

Handur se laissa tomber sur la même branche que lui, ailes déployées pour ralentir sa chute.

— Inutile de m'amadouer avec tes flatteries, Goneïa. Que je ne te prenne plus à douter du commandant ! Et aucun de vous, ajouta-t-il en les fixant chacun leur tour. Nous contournons les haltes militaires pour éviter de tomber dans un piège si jamais Taïs a réussi à apprendre leur emplacement. Cette mission repose sur l'effet de surprise, au cas où vous l'auriez oublié.

Goneïa se contenta de fixer ses bottes pleines de boue. Aïnako était contente que la colère de Handur ne soit pas dirigée contre elle. Elle l'avait vu se fâcher des dizaines de fois à l'Académie, mais, si c'était possible, la pluie le rendait encore plus impressionnant. Ses boucles bleues, normalement si légères et rebondies, s'étaient aplaties sur son front, faisant ressortir la forme rectangulaire de son visage, et ses vêtements qui lui collaient à la peau mettaient en valeur son extraordinaire carrure.

— Un groupe de renards nous prendra demain matin, poursuivit Handur. En attendant, agissez comme les soldats que vous êtes.

Il retourna dans son arbre et les soldats se remirent à attacher leur hamac en silence. Aïnako savait qu'elle ne devait pas s'emporter comme ça, mais ces abrutis la mettaient tout simplement hors d'elle. On se serait cru à l'école primaire. « Les elfes ont beau vivre indéfiniment, ils ne gagnent pas nécessairement en maturité pour autant », se dit-elle en tirant sur les cordes de son hamac pour en resserrer les nœuds. Sa main glissa sur la corde mouillée et ses jointures allèrent frapper l'écorce du tronc. Sa peau glacée se fendit et une perle de sang suinta de la coupure en même temps qu'une brève lueur blanche.

Elle porta machinalement sa main à sa bouche, mais la peau s'était déjà refermée. Réalisant qu'il s'agissait d'un réflexe vraiment trop humain pour une elfe supposément habituée à ce genre de guérison ultra-rapide, elle regarda furtivement autour d'elle avant de grimper dans son hamac. Elle adressa un sourire discret à Kaï avec un roulement d'yeux qui voulait dire : « Non, mais quels imbéciles ! » Son amie étouffa un rire et s'enroula dans son propre hamac. Juste avant de refermer le sien, Aïnako jeta un coup d'œil vers l'endroit où Olian était installé. Il devait déjà être couché, car elle ne le vit nulle part.

Couchée en boule dans son uniforme

mouillé, le fourreau de son épée entre les genoux et le pommeau au creux de sa paume, elle n'avait rien d'autre à faire que d'écouter la pluie en attendant le sommeil qui tardait toujours à venir. L'obscurité était presque complète, mais les diamants qui parsemaient la poignée de son épée luisaient faiblement. Sans doute un résidu de sa lumière, puisqu'elle la portait presque constamment depuis leur départ de Lilibé.

Comme tous les soirs, elle se mit à penser à son ancienne vie, qui n'était pas si ancienne que ça, à vrai dire. Ça ne faisait même pas un mois qu'elle était partie de chez elle, mais elle avait déjà l'impression que c'était un rêve. Est-ce que tatie Vivi pensait à elle en ce moment ? Probablement, se dit-elle. En fait, c'était presque sûr. Tatie Vivi, toute seule dans sa maison… Aïnako se dit qu'elle aurait dû lui acheter un chat avant de partir ; ça lui aurait fait un peu de compagnie. Sauf que le chat les aurait peut-être pris pour des oiseaux. Elle faillit rire en imaginant Naïké en train de narguer le chat et le chat en train de devenir fou à force de sauter partout pour essayer de l'attraper.

Elle repensa aux ruines du campement d'elfes sauvages qu'ils avaient traversé et à ce que Kaï lui avait dit la première journée de classes à l'Académie : l'armée ne se déplaçait pas pour les elfes sauvages. Elle revit les jouets, les poupées, les renards à bascule. Elle essaya d'imaginer le campement avant sa destruction, les plateformes animées, les enfants voletant partout. Des images de cour d'école lui vinrent à l'esprit, des enfants humains jouant au hockey bottine, soudain pulvérisés par un feu d'artifice multicolore… Des enfants ailés qui ne pouvaient que crier en voyant leurs parents mourir sous leurs yeux, en voyant le sang de leurs parents se répandre et dégoutter en pluie rouge jusque sur le sol de la forêt… La chaleur du sang de Néréli entre les doigts glacés de Silmaëlle…

Elle détacha une de ses mains du pommeau de son épée et toucha sa gorge à l'endroit où se trouvait habituellement son pendentif. Elle ne le portait pas en ce moment, elle l'avait laissé à Lilibé, mais elle avait eu le temps de s'habituer à le serrer dans ses doigts chaque fois qu'elle pensait à sa mère. Elle se demanda si le pendentif vert qu'elle avait vu dans le campement détruit s'était lui aussi passé de mère en fille et si la lignée s'était arrêtée avec l'attaque de Shamguèn.

Elle se demanda qui était commandant, à l'époque. Iriel ? Elle revit son regard glacé et crut entendre sa voix rauque appeler sa mère par son surnom, Maë. Elle ferma les yeux et son visage apparut, inexpressif, avec ses cheveux noirs en bataille, ses yeux noirs et opaques, ses ailes noires qui avaient parfois des reflets violets quand elles étaient grandes ouvertes au soleil. Il était si réel qu'elle aurait pu le toucher. Si réel qu'elle percevait son souffle sur son visage, à deux doigts du sien, qu'elle sentait son odeur de forêt et de sueur.

— Tu repars déjà ? demanda-t-elle d'une voix légèrement plus claire que la sienne.

La voix de Silmaëlle. Elle avait encore basculé dans les souvenirs de sa mère. Elle se trouvait au vingt-quatrième étage de la tour des militaires, l'uniforme sur le dos et l'épée à la ceinture. Les étoiles brillaient au-dessus d'elle.

— Tu viens à peine d'arriver, continua-t-elle. Tu ne t'es même pas changé et je suis sûre que tu n'as rien mangé de la journée.

Il haussa les épaules et grimaça. Ses longs cheveux étaient attachés sur sa nuque, mais le vent avait libéré quelques mèches qui lui collaient au visage.

— Je n'ai pas le temps, Maë. Il faut que j'y aille.

Aïnako sentit ses doigts bouger sur le pommeau de son épée, comme si sa mère avait voulu lui prendre une main ou le secouer, mais elle se mordit plutôt la lèvre et ses doigts restèrent où ils étaient. Le regard d'Iriel sembla se perdre un instant dans le ciel, puis il revint sur elle et se mit à la fixer avec une intensité froide.

— Des soldats de Shamguèn assiègent un campement d'elfes sauvages. Ta mère m'a chargé d'aller faire le ménage.

— Depuis quand l'armée d'Élimbrel s'occupe-t-elle des elfes sauvages ?

— Le campement en question entoure un village. Ce sont les villageois qu'on va sauver.

— Mais les elfes sauvages ? Qu'allez-vous faire si Taïs se sert d'eux comme bouclier pendant qu'elle attaque le village ?

— Je te l'ai dit. Ma mission consiste à sauver les villageois, personne d'autre.

Aïnako sentit le cœur de sa mère s'arrêter. Elle n'arrivait pas à détourner ses yeux de ceux d'Iriel. Des images se succédèrent à une vitesse folle dans son esprit. Elle se vit l'épée à la main, entourée d'autres soldats d'Élimbrel, en train de se battre contre des elfes vêtus d'habits en patchwork semblables à ceux que Kaï portait à Lilibé quand elle n'était pas à l'Académie. Les jets lumineux qui fusaient de toutes parts étaient si éblouissants qu'elle devait souvent plisser les yeux. Mais elle vit clairement Iriel, ses cheveux noirs flottant derrière lui, enveloppé d'un écran bleu argenté, qui frappait avec méthode et sang-froid. Silmaëlle dut faire un effort pour s'arracher à ces souvenirs. Elle avala sa salive et murmura :

— Tu vas tout détruire, tu veux dire ! Comme la dernière fois. Quand les elfes sauvages ont refusé de nous laisser traverser leur campement et que tu nous as ordonné de les massacrer. Tu ne trouves pas que tu as déjà assez de sang innocent sur les mains ?

— Ce n'est pas moi qui vais tout détruire, Maë. C'est Élimbrel. C'est le royaume au complet. Tout le monde est aussi coupable que moi là-dedans. Si les citoyens se souciaient vraiment du sort des elfes sauvages, ils nous le feraient savoir. Ceux des villages sont trop contents qu'on privilégie leur sécurité et ceux de Lilibé se satisfont très bien de fermer les yeux.

— Tu fais exactement comme ton père quand il était commandant. Lui aussi rejetait toute responsabilité sur le peuple. Tu t'étais juré d'être différent, de faire changer les choses.

— Tu n'es pas encore reine. Tu ne sais pas ce que c'est que d'être au pouvoir. Tu vas te rendre compte qu'il y a des choses qui ne se changent pas. Les gens au pouvoir sont souvent ceux qui ont le moins de pouvoir.

— Eh bien, j'espère que je ne deviendrai jamais reine.

— Comme j'espérais ne jamais devenir commandant.

— Sauf que, toi, tu avais le choix.

— On a toujours le choix, Maë. Mais les choix ne sont pas toujours ceux qu'on pensait.

Il la regarda encore avec ces yeux qui avaient le don de la paralyser, hocha la tête en signe d'adieu et tourna les talons, la laissant seule, en colère et atterrée.

# 2

## Le bien du peuple

Le lendemain matin, la pluie n'avait pas cessé; Aïnako avait même l'impression qu'elle s'était intensifiée. Encore troublée par son rêve ou sa vision, elle s'approcha du renard qui les transporterait ce jour-là, Iriel et elle, et se mit à lui gratter distraitement une oreille. Autour d'elle, les autres soldats grimpaient deux par deux sur leur monture et s'éloignaient pour attendre le signal de départ.

Pourquoi Éléssan l'avait-il jumelée à Iriel? Ils étaient peut-être amis depuis longtemps, mais ses yeux froids et son air indifférent ne lui plaisaient pas. Sa voix monocorde, continuellement éraillée, lui donnait des frissons.

Elle se rappela les images qui avaient envahi l'esprit de sa mère quand il avait dit que sa mission consistait à sauver les villageois, personne d'autre. Elle revit les elfes sauvages tomber par dizaines sous les coups d'épée des soldats d'Élimbrel. Était-ce vraiment lui qui avait ordonné ce massacre ? Et qu'en était-il du campement qu'elle-même avait traversé la veille ? Y en avait-il beaucoup, de ces ruines pleines de jouets d'enfants ? De combien d'entre elles Iriel était-il responsable ?

Elle le chercha des yeux et l'aperçut entre les têtes hirsutes de deux renards. Il discutait avec Éléssan et quelque chose dans leur attitude l'intrigua. On aurait dit qu'ils se disputaient. Iriel était toujours aussi impassible, mais Éléssan avait son air sévère et il hochait régulièrement la tête pour ponctuer ses paroles, comme il faisait tout le temps quand il voulait s'assurer que son interlocuteur comprenait bien ce qu'il essayait de lui expliquer.

Iriel dit quelque chose et Éléssan s'arrêta pour le regarder dans les yeux. Ils restèrent ainsi un moment et Aïnako pensa qu'ils se ressemblaient beaucoup malgré les différences qui sautaient d'abord aux yeux. De taille égale, ni grands ni petits, ni maigres ni costauds, ils dégageaient le même calme, la même aisance dans leurs gestes, la même assurance dans leur regard.

Iriel finit par incliner très légèrement la tête et s'envoler. Quand il se posa près d'elle, Aïnako sentit son pouls s'accélérer. Il l'intimidait et elle ne pouvait s'empêcher d'avoir peur de lui. Sans lui adresser le moindre salut, il s'approcha du renard et posa une main sur son museau. Le renard leva la tête et glapit quelque chose qui ressemblait à un assentiment. Iriel se tourna vers Aïnako.

— Monte devant.

Mais pour qui se prenait-il? Il avait longtemps occupé le poste d'Éléssan, mais ça ne lui donnait pas le droit de lui donner des ordres. Oui, il l'intimidait, mais elle n'allait quand même pas le lui montrer.

— Je peux très bien monter derrière, répondit-elle en s'efforçant de paraître détachée. Tu crois que je ne suis pas assez adroite? Que je vais glisser et me casser le cou s'il n'y a personne pour me retenir?

— Mieux vaut ne pas le découvrir.

— Toi aussi tu te demandes pourquoi Éléssan m'a choisie.

— On ne peut rien te cacher. Allez, monte.

Ravalant son envie de répliquer, Aïnako finit par s'exécuter; tous les autres attendaient et c'était vrai qu'elle risquait de tomber si elle ne pouvait pas s'accrocher à la fourrure du renard. En outre, elle n'avait aucunement l'intention de s'agripper à Iriel.

Même s'il ne la touchait pas, elle sentait sa présence dans son dos et les étranges paroles qu'elle l'avait entendu prononcer pendant qu'elle se trouvait dans la tête de sa mère endormie lui revinrent à l'esprit. En fait, elle n'avait jamais vraiment pu arrêter d'y penser. *Tu n'en seras jamais capable. Tu m'entends, Maë ? Tu n'en seras jamais capable.*

De quoi parlait-il ? De quoi sa mère ne seraitelle jamais capable ? Comme pour se rassurer, elle posa une main sur le pommeau de son épée. Elle ne maîtrisait pas encore très bien sa force et, bien qu'elle fût arrivée quelques fois à reproduire ce qui s'était passé avec Naïké après la première journée de cours, elle n'y était parvenue que si on l'attaquait par-derrière. Et par surprise. Ce n'était jamais conscient. C'était toujours son corps qui répondait instinctivement à la menace qu'il sentait venir. Elle ne se rappelait jamais ce qu'elle avait fait quand sa lumière se déchaînait ainsi. Chaque fois, elle se réveillait désorientée, les nerfs à vif, terrorisée à l'idée qu'une telle violence se cachait à l'intérieur d'elle. Elle détestait se sentir dominer par quelque chose qu'elle n'arrivait pas à comprendre.

Elle s'avança pour s'appuyer sur la nuque du renard et enfouir son visage dans sa fourrure, sous les poils de surface, là où la pluie ne s'était pas encore faufilée. Elle se laissa bercer par le pas de l'animal et ferma les yeux. Elle dut finir par s'endormir, car lorsqu'elle les rouvrit, il ne pleuvait plus et elle ne se trouvait plus sur le dos d'un renard, mais debout au milieu d'un champ enneigé. Il n'y avait que du blanc à perte de vue. Elle rêvait, ça ne faisait aucun doute, mais tout semblait si réel, le froid sec qui lui glaçait la gorge, la lourdeur du manteau qui ne laissait paraître que le bout de ses doigts verts, ses deux pieds qui s'enfonçaient à peine dans la croûte blanche qui s'étalait autour d'elle… Mais tout était brouillé comme si elle regardait à travers une vitre givrée.

Elle porta une main gelée à ses yeux et comprit que c'était des larmes, ses larmes, qui l'empêchaient de voir. Elle les essuya d'un geste irrité. Quand elle se retourna, tout était net. Et elle n'était plus seule. Iriel était là, vêtu lui aussi d'un épais manteau, ses cheveux longs fouettant son visage à chaque bourrasque glacée. Il répétait les mêmes paroles, sauf que, cette fois, c'était bien ses lèvres qui les prononçaient et chacun de ses mots se transformait en un nuage de buée amère.

— Tu es toujours le même gamin arrogant que j'ai rencontré sur le balcon des recrues, dit-elle avec la voix de sa mère. Qu'est-ce qui te fait croire que tu es irremplaçable ?

— Je te connais, Maë…

— Tu n'ignores donc pas que je suis assez entêtée pour réussir à t'oublier. Si je décide que je ne t'aime plus, je ne t'aimerai plus d'ici la prochaine lune.

— Je ne te crois pas. Tu n'y arriveras pas. Tu...

Il s'arrêta brusquement, comme si sa voix avait heurté un mur, et ajouta, plus doucement :

— Ce n'est pas ce que tu veux. Je sais que ce n'est pas ce que tu veux.

Aïnako sentit sa mère inspirer profondément pour chasser le tremblement de sa voix.

— Éléssan sera là pour toi. Je lui ai dit de ne pas s'en faire pour moi, de s'occuper de toi en premier.

— Tu lui as demandé de s'occuper de moi ? Tu crois que tu peux décider de ne plus m'aimer, mais que je ne peux pas en faire autant ?

Il avait l'air furieux. Silmaëlle soupira, à la fois agacée et désespérée.

— Ne fais pas l'idiot...

— C'est toi qui fais l'idiote. Tu te mens à toi-même et, le pire, c'est que tu en es parfaitement consciente.

— Je suis le peuple, maintenant. Je n'ai plus le droit de faire ce qui me plaît. C'est pour le bien du peuple...

— Tu vas le regretter. Tu sais que tu vas le regretter !

Ils se dévisagèrent un long moment. Iriel serra les mâchoires et finit par détourner les yeux. La vue d'Aïnako se brouilla et elle sentit comme un étau lui enserrer la gorge. Elle eut alors l'impression qu'Iriel, le vrai, celui qui était assis derrière elle, l'attirait contre lui, tandis que l'autre, celui de sa vision, était toujours planté devant elle, les poings serrés, le visage tourné vers le ciel, les dents qui claquaient de froid et de rage. Elle ferma les yeux pour faire taire l'envie qu'elle avait de se jeter dans ses bras. Deux tisons mouillés coulèrent sur ses joues froides.

— Aïnako ! Réveille-toi, tu fais un cauchemar.

Elle recommença à sentir la pluie qui tombait en violents seaux glacés sur son visage et dut faire un effort pour écarter ses paupières soudées l'une à l'autre. Au-dessus d'elle, Iriel l'observait, impénétrable, et ses bras l'étreignaient, l'empêchant de tomber. Le renard n'avait pas ralenti.

Réalisant qu'elle se trouvait à moitié couchée sur lui, elle se redressa. Merde ! Pourquoi, mais pourquoi Éléssan l'avait-il jumelée à Iriel ? Elle était certaine qu'elle n'aurait jamais eu cette vision s'il ne s'était pas trouvé aussi près d'elle. Et, même si elle l'avait eue, cela aurait été beaucoup moins gênant de se faire rattraper par Naïké ou Kaï que par Iriel. Elle se retourna malgré tout, en espérant qu'il ne remarque pas trop la teinte marron de son visage, et le remercia.

— Pas de quoi, répondit-il, non sans une certaine ironie dans la voix, en esquissant une grimace qui s'apparentait presque à un sourire.

Elle le lui rendit, si c'en était bien un, et se détourna, ne sachant que penser. Était-ce à cause de la scène qu'elle venait de voir qu'Iriel détestait sa mère? Avaient-ils déjà été plus que des amis? Il fallait croire que oui. Elle se rappela la vision qu'elle avait eue dans la chambre royale, deux semaines auparavant, et réalisa que c'était à lui que sa mère faisait référence. *Ça va le tuer*, avait-elle dit à Éléssan. *C'est toi que ça va tuer*, avait-il répliqué. Il s'était ensuite informé si c'était Taïs qui lui demandait ça, mais elle n'avait pas répondu. De quoi parlait-il? Taïs avait-elle demandé à Silmaëlle de rompre avec Iriel avant de signer le traité de paix? Ça n'avait aucun sens. Sa mère avait pourtant bien laissé entendre que c'était pour le bien du peuple qu'elle le quittait. Mais en quoi le peuple se portait-il mieux depuis qu'ils n'étaient plus ensemble?

Après quelques heures de route mouillée et silencieuse, Aïnako regrettait presque qu'Éléssan ait demandé à des renards de les transporter. Au moins, quand ils étaient obligés de marcher ou de voler par leurs propres moyens, elle pouvait parler à ses amis. Elle leva la tête vers le ciel uniformément gris et aperçut une bande de faucons qui tournoyaient au-dessus des arbres.

— Je ne savais pas que les faucons volaient en bande, dit-elle pour dire quelque chose.

Elle se tourna vers Iriel. Elle s'attendait à ce qu'il lui renvoie un regard glacial, mais, à son grand étonnement, il s'était raidi, le visage vers le haut, une main sur la garde de son épée et l'autre dans sa bouche pour émettre un bref sifflement. Éléssan ordonna aussitôt une halte. Les renards s'arrêtèrent, laissèrent leurs cavaliers descendre et prirent la fuite.

— Qu'est-ce qui se passe ? demanda Aïnako.

— Les faucons ne volent jamais en bande, répondit Iriel sans lâcher les rapaces des yeux.

Debout au milieu des arbres, les soldats tracèrent un demi-cercle au-dessus de leur tête avec la pointe de leur épée. Un voile de lumière multicolore se dressa autour d'eux comme un énorme parapluie translucide.

— Laissez-les attaquer en premier, dit

Éléssan. Et attendez qu'ils se montrent pour riposter.

Une centaine de jets de lumière jaillirent alors de derrière les oiseaux et s'abattirent sur les soldats d'Élimbrel. Le bouclier vibra dangereusement sous l'impact, mais résista. Aïnako sentait son cœur battre jusque dans sa gorge. Elle serra son épée encore plus fort pour qu'elle arrête de trembler. Elle avait répété ce type d'attaque un millier de fois.

Les soldats de Shamguèn sautèrent des faucons dès qu'ils se mirent à dévier de leur trajectoire pour ne pas heurter le sol. Les soldats d'Élimbrel firent disparaître leur bouclier pour mieux se défendre et, à force d'attaquer et de contre-attaquer, les deux camps finirent par se mêler, jusqu'à n'être plus qu'un nuage de lumières et de cris, d'assaut ou de mort, qui terrifiait Aïnako tout en lui insufflant le courage nécessaire pour ne pas s'enfuir à toutes jambes.

Un éclair bleuté siffla au-dessus de sa tête et elle eut à peine le temps de se retourner pour bloquer le suivant que lui envoyait un grand soldat vêtu de blanc. Elle répliqua. Le soldat fit un bond de côté et la lumière d'Aïnako s'écrasa au sol dans une explosion de boue. Sans attendre, elle y alla d'une seconde attaque. Mais elle ne sut jamais si elle atteignait son but ; un soldat d'Élimbrel venait de lui tomber dessus, projeté par une vague ennemie. Il l'entraîna dans sa chute et ils s'affaissèrent dans la boue froide. Elle se releva en vitesse, s'enveloppa d'un bouclier blanc et se prépara à encaisser l'attaque que son adversaire était sûrement déjà en train de lui lancer. Mais le choc ne vint pas et elle constata qu'il était maintenant pris dans un autre duel.

Ce ne fut qu'à ce moment qu'elle réalisa que le soldat d'Élimbrel qui l'avait heurtée ne s'était pas encore relevé. Son visage était couvert de boue et une tache rouge avait envahi sa poitrine. Tous les muscles d'Aïnako se figèrent. La vue du sang l'écœurait, mais elle n'arrivait pas à détourner les yeux. Pourquoi n'y avait-il pas de lumière ? Pourquoi n'y avait-il pas de nuage de lumière sur la blessure du soldat ?

— On dirait que tu n'as jamais vu de morts, cria Iriel en retirant sa propre épée du corps d'un ennemi.

Elle lui décerna un regard horrifié. Comment pouvait-il afficher si peu d'émotion alors qu'il venait tout juste d'enlever la vie à quelqu'un ? Elle allait répliquer quand il se jeta sur elle pour repousser un soldat blanc qui l'aurait autrement éventrée. Elle recula, saisie d'effroi. Tous ses muscles tremblaient et elle n'arrivait plus à penser. Iriel se débarrassa du soldat et se tourna vers elle. Il la fixa un instant à travers la pluie avant de disparaître derrière un ennemi qui lui balança une vague verte, laquelle s'écrasa sur un bouclier bleu argenté.

Aïnako sentit la colère l'envahir. Elle refusait de se laisser aller à la peur. Elle n'était pas une petite fille faible et sans défense. Elle prouverait à Iriel et à tout le monde qu'Éléssan avait eu raison de la choisir. Elle essuya une goutte de pluie qui venait de s'écraser dans ses yeux et tenta de retrouver la formidable assurance qu'elle avait ressentie pendant la bataille de Lilibé, tout de suite après sa vision, quand elle avait eu l'impression que sa mère vivait encore en elle.

Les combattants étaient de plus en plus nombreux à poursuivre la lutte dans les airs. Ils devenaient des cibles aisées pour les deux camps. Elle évita un soldat qui tombait du ciel et reconnut le visage rond de l'elfe aux cheveux rouges qui s'était plainte parce qu'Éléssan les forçait à monter le camp sous la pluie. Même si elle avait souvent souhaité son malheur, elle n'éprouva qu'un vif sentiment de rage accompagné d'une vague nausée à la vue de ses yeux sans vie.

Un éclair jaune s'abattit sur elle. Elle leva la tête pour voir le responsable et braqua son épée sur lui. La lumière blanche jaillit. L'autre l'esquiva et riposta. Aïnako fut projetée dans la boue. Elle se releva prestement et essuya le masque visqueux qui lui bloquait la vue. L'autre était déjà sur elle. Le jaune et le blanc se heurtèrent, la citrine et le diamant s'entrechoquèrent. Il essayait toujours de l'entraîner au-dessus de la mêlée pour échapper à la boue qui leur avalait les pieds et menaçait de leur arracher leurs bottes, mais Aïnako résistait. Elle bloqua une sphère de feu jaune et s'apprêtait à répliquer quand une vague rose la frappa de côté.

Elle s'écrasa à plat ventre dans la boue. Un goût de sang et de terre lui emplit la bouche. Elle cracha et bondit sur ses pieds. Ses deux opposants tentaient déjà une nouvelle attaque. La rivière blanche qui émergea de son épée lutta un instant contre leurs lumières combinées avant de les engloutir. Ils dressèrent aussitôt un mur jaune et rose devant eux.

Un troisième ennemi en profita pour se jeter sur elle. Aïnako l'aperçut une fraction de seconde avant qu'il ne l'atteigne. Elle pivota et recula en prenant son envol. Au lieu de lui transpercer le cœur, la lame de son attaquant lui déchira la cuisse. La douleur la submergea, mais elle réussit à ne pas se laisser aveugler par le mal et repoussa son nouvel opposant d'un éclair blanc. Elle ramena son attention sur ses deux adversaires précédents, juste à temps pour voir une vague fuchsia les heurter et les emporter.

Elle revint au sol. Sa cuisse était engourdie et une lueur blanche dansait sur sa coupure, mais elle sentait sa chair se refaire. Elle chercha le soldat qui l'avait blessée, mais ne le vit nulle part. Elle croisa le regard de Naïké qui se battait seule contre deux adversaires et comprit qu'elle la surveillait, probablement depuis le début de la bataille. Si cette pensée la rassura, une pointe de culpabilité germa dans son ventre à l'idée que son amie, en gardant toujours un œil sur elle, risquait d'être moins attentive à ses propres assaillants.

Un cri de douleur retentit derrière elle. La voix de Kaï. Elle se retourna et vit son amie qui reculait, assise dans la boue, devant une lame d'émeraude qui lui effleurait le menton. Son épée gisait aux pieds de son adversaire et elle avait la main gauche plaquée sur son bras droit, illuminé de bleu, où une rivière de sang s'infiltrait entre ses doigts avant de se délayer dans la pluie.

Entourée d'un écran blanc, Aïnako se précipita vers elle et assomma son opposant avec la garde de son épée. Elle avait beau être dans une vraie bataille, au cœur d'une vraie guerre, elle n'arrivait tout simplement pas à se résoudre à tuer un de ses semblables. Elle se pencha pour désembourber l'épée de Kaï et la lui rendit après l'avoir aidée à se relever. Kaï essaya de sourire, mais elle ne parvint qu'à grimacer. Son bras droit était invisible sous la lumière bleue qui l'enveloppait ; à voir le sang qui tachait ses mains et la boue à ses pieds, Aïnako devina que la blessure de son amie était beaucoup plus profonde que la sienne.

Elle allait lui demander si elle était capable de poursuivre les combats quand un mouvement dans le sol attira son attention. Le soldat qu'elle venait d'assommer s'était déjà rétabli et revenait à la charge. Elle tenta de repousser la vague verte qui avait jailli de son épée avec un jet ininterrompu de lumière blanche, mais ce ne fut pas suffisant. La lumière de son adversaire s'intensifia ; de vert pistache elle devint vert lime, puis vert brocoli. Elle dut agripper son arme à deux mains pour éviter qu'elle ne lui échappe. Après quelques minutes de ce combat aussi féroce que statique, Kaï, qui mêlait sa lumière à la sienne en tenant tant bien que mal son épée de la main gauche, accrocha son regard. Elle secoua la tête, l'air de dire qu'elle n'en pouvait plus, et s'envola.

Un grognement de fatigue s'échappa de la gorge d'Aïnako lorsque la lumière de son ennemi, deux fois plus forte maintenant qu'elle était seule à la retenir, obligea ses bras exténués à redoubler d'ardeur. Ses jambes se mirent à trembler et le seul fait de rester debout lui sembla soudain au-dessus de ses forces. Malgré les réflexes et les habiletés qu'elle avait hérités de sa mère, elle ne possédait pas encore l'endurance des adultes. Ses genoux étaient sur le point de flancher quand Kaï se laissa tomber, épée première, sur le soldat. Celui-ci n'eut pas le temps de réagir et il s'effondra. Elle se posa près de son amie et elles se placèrent dos à dos, en garde, mais les soldats d'Élimbrel dominaient maintenant largement et la bataille semblait presque terminée.

Aïnako mit quelques secondes à reprendre son souffle. Des égratignures brillaient sur sa peau et elle sentait sa lumière qui circulait dans ses veines en réchauffant ses muscles. Elle tremblait encore, mais elle refusait de se servir de son jeune âge comme excuse pour avoir peur. Ses jambes retrouvèrent peu à peu leur aplomb et elle raffermit sa poigne sur son arme pour se donner du courage. Près d'elles, Naïké se battait encore contre deux adversaires. Elle paraissait toutefois loin d'être mal prise. C'était plutôt ses opposants qui juraient et haletaient en tentant d'échapper à la furie de son épée.

Pendant que Kaï allait aider un autre des

leurs, Aïnako décida quand même d'aller lui prêter main-forte. À deux, elles renversèrent sans peine un des soldats blancs en le frappant simultanément d'un jet à la poitrine. L'autre se montra plus coriace. Il était agile, mais pas autant que Naïké. Pendant qu'Aïnako s'occupait de faire dévier chacune de ses attaques, elle se jeta sur lui et le désarma. Il y eut une explosion fuchsia et le soldat s'écroula.

Naïké se tourna vers Aïnako.

— Ça va ? Tu n'es pas bless…

Mais elle ne termina pas sa phrase. Elle regarda d'abord la lame de tourmaline qui venait d'émerger de sa poitrine comme un rocher hors de l'eau, puis posa ses grands yeux lavande, plus surpris qu'effrayés, sur ceux de son amie. Elle eut un soubresaut macabre et un filet de sang s'échappa de ses lèvres entrouvertes.

# 3

## Comme une bête sauvage

Aïnako eut l'impression de sentir ses organes se liquéfier. Son cerveau cessa de fonctionner et elle se rua sur l'assassin, comme si, dans son esprit déréglé, ça allait pouvoir ramener Naïké à la vie.

Elle réussit à l'empoigner par la cheville alors qu'il prenait son envol, mais sa main glissa sur sa peau mouillée et ses ongles ne réussirent qu'à y tracer de longs sillons sanglants pendant qu'il s'échappait. Elle s'élança à sa poursuite.

Un souffle aveuglant émergea de son épée et fondit sur le soldat qui se retourna et se réfugia derrière un bouclier cuivré. Presque au même moment, il laissa tomber quelque chose, un objet, qui fila droit vers le sol. Son épée ? C'eût été trop beau. Cette fois, elle n'hésiterait pas, elle frapperait, même un adversaire désarmé ; elle frapperait et tuerait.

Mais, quand son bouclier disparut et qu'il riposta, elle vit qu'il tenait toujours son épée de tourmaline, que la pluie avait complètement lavée du sang de Naïké. Cette vue raviva sa douleur, à tel point qu'elle sentit à peine la brûlure de sa lumière qui éclata hors de sa cage thoracique et percuta le soldat, le repoussant jusqu'à ce que son dos heurte un tronc d'arbre.

Au contraire des autres fois, elle avait parfaitement conscience de ce qu'elle faisait. Enveloppée d'un vif halo blanc, sa lumière continuant à émerger non seulement de son thorax, mais de l'ensemble de son corps, elle s'approcha de son prisonnier. À travers l'éclat blanc qui le maintenait en place, elle pouvait voir son visage délicat, tordu par la souffrance et l'effort. Elle pointa son épée sur lui, prête à le transpercer. Mais quelque chose la retint, un doute ou la peur qu'elle devinait dans ses yeux clairs et brillants.

La lumière blanche faiblit et sa main se mit à trembler. L'autre réussit à libérer son bras armé. Aïnako bloqua le coup, mais la surprise fit vaciller sa concentration. La lumière blanche faiblit encore et le soldat, qui continuait à pousser pour s'éloigner du tronc, bascula vers l'avant et s'empala de lui-même sur la lame de diamant.

Aïnako cria et la lumière blanche s'évapora. Elle chuta avec le soldat. Pendant l'unique seconde que dura leur chute, elle ne put s'arracher à son regard clair au fond duquel une lueur ambrée brillait de plus en plus faiblement. Il la fixait d'un air étonné, presque de reproche. Elle ouvrit la bouche comme pour s'excuser.

Ils heurtèrent le sol. Le choc lui fit lâcher son arme, qui resta plantée dans le corps de l'autre. Elle fit quelques tonneaux dans la boue, et, sans prendre le temps de se demander si elle était blessée, se releva et se précipita vers lui. Elle s'agenouilla à ses côtés, retira son épée et la jeta au loin. Mais il était déjà mort. Elle l'avait tué. Elle l'avait vraiment tué. Elle ferma ses yeux rendus aveugles et un sanglot lui échappa, puis un autre, et un autre. Elle avait voulu venger Naïké, mais…

Elle se détourna et vomit toutes ses tripes. Les crampes la plièrent en deux et l'acide âcre lui brûla l'œsophage. Elle tomba à quatre pattes et vomit encore jusqu'à ce que seules les contractions de son estomac continuent à la secouer et qu'elle n'ait plus que sa salive à cracher dans la boue. Toujours à quatre pattes, elle fit quelques pas pour s'éloigner, trébucha et s'affaissa. Elle roula sur le dos et observa les gouttes de pluie grises qui tombaient tout autour d'elle et s'écrasaient sur son visage, dans ses yeux, dans sa bouche. Elle aurait voulu continuer à pleurer, mais ne s'en sentait même plus la force. Sa tête s'était vidée en même temps que son estomac.

Elle remarqua alors à quel point le champ de bataille était calme. Les combats avaient cessé. Qui avait gagné ? Leur camp semblait à deux doigts de la victoire quelques minutes auparavant, mais les derniers événements la faisaient douter.

Elle fit un effort pour rouler sur le côté. Des soldats étaient penchés sur les blessés et enveloppaient leurs plaies de leur lumière pour les aider à cicatriser. Elle reconnut Olian et d'autres guérisseurs d'Élimbrel. Ils avaient donc gagné. Mais l'image de Naïké, la pointe d'une épée lui sortant de la poitrine, l'empêchait de se réjouir. Elle aurait voulu qu'Éléssan soit là, qu'il lui caresse les cheveux et la laisse pleurer contre lui…

Elle s'assit brusquement. Éléssan… Elle ne le voyait nulle part.

Elle s'obligea à se relever, regarda autour d'elle, fit quelques pas chancelants et aperçut enfin une tête couleur de feu qui brillait au loin comme un fanal dans la tempête. Ses ailes ne la portant plus, elle se mit à courir dans sa direction en trébuchant sur les cailloux et les brindilles et en glissant dans les mares d'eau boueuse, trop anxieuse de s'assurer qu'il allait bien.

— Non, l'entendit-elle crier. Personne ne la touchera tant qu'on n'aura pas retrouvé son aile.

Éléssan et une demi-douzaine de soldats étaient rassemblés autour du corps de Naïké, sous un grand arbre qui les protégeait de la pluie.

— Commandant, protesta l'un d'eux, il faut laisser les guérisseurs agir maintenant, pendant qu'il y a encore une chance…

Une chance ? Une chance de quoi ?

— Elle mourra si nous ne faisons rien…

Elle mourra ? Qui mourra ? Naïké ? Naïké n'était pas morte ? Naïké n'était pas morte ! Mais pourquoi Éléssan ne laissait-il pas les guérisseurs la guérir ?

— Je croyais vous avoir donné un ordre, s'impatienta-t-il sans toutefois perdre son calme. Trouvez-moi cette aile. Maintenant.

N'osant plus contredire leur commandant, les soldats s'inclinèrent rapidement et partirent dans des directions opposées. Aïnako se laissa choir sur le sol détrempé, près du visage blême de son amie, qu'elle se mit à appeler d'une voix hystérique en mêlant son nom humain à son nom elfe.

— Elle ne t'entend pas, dit Éléssan sans lever les yeux.

Ses mains diffusaient une lueur dorée qui s'infiltrait dans la blessure de Naïké, juste en dessous de la clavicule gauche. Aïnako essaya de se calmer.

— J'étais là quand… J'étais sûre que sa blessure était mortelle.

— Mais elle l'est, mortelle.

Elle le dévisagea sans comprendre. Si sa blessure était mortelle, pourquoi ne la sauvait-il pas maintenant ? Pourquoi avait-il chassé les guérisseurs ? Pourquoi avait-il l'air si serein ?

— Elle a perdu une aile, continua-t-il sans la regarder, les yeux toujours fixés sur le corps de Naïké.

— Et alors ? s'écria Aïnako, soudain folle de rage contre lui.

— Elle ne me pardonnerait jamais de la guérir sans essayer de la lui redonner.

Quelque chose s'alluma dans le cerveau d'Aïnako. Ce que le soldat avait laissé tomber, ce ne pouvait être que l'aile de Naïké. Elle allait se lever pour partir à sa recherche quand un cri retentit au-dessus d'eux :

— Je l'ai, commandant. Je l'ai trouvée.

Un soldat atterrit devant eux, de l'autre côté

du corps de Naïké. Il s'agenouilla et ouvrit les bras sur ce qui ressemblait à un cocon vert pétrole parcouru de motifs brun rosâtre. Éléssan prit délicatement le cocon d'une main sans retirer l'autre de la blessure de Naïké.

— Passe un bras sous ses épaules, dit-il au soldat, et soulève doucement le haut de son corps, juste assez pour dégager ses ailes.

— Euh… on ne ferait pas mieux d'attendre les guérisseurs ?

Éléssan lui jeta un regard tranchant. Le soldat blêmit et obtempéra. Il décolla prudemment les épaules de Naïké du sol, pendant qu'Aïnako retenait la tête de son amie pour l'empêcher de retomber dans la boue devenue écarlate. Éléssan glissa une main, celle qui tenait l'aile, dans le dos de Naïké. Il laissa l'autre sur son sternum et projeta sa lumière dans son corps inanimé qui se mit à rayonner comme un soleil.

Quand il retira ses mains, le visage de Naïké avait repris sa couleur vert émeraude habituelle et sa blessure s'était complètement refermée. Éléssan resta immobile. Ses traits ne trahissaient aucune émotion. Mais, quand Naïké ouvrit les yeux en inspirant profondément, il sourit en relâchant son souffle et attendit que son regard se soude au sien avant de murmurer :

— Dis donc, soldate, tu croyais vraiment pouvoir nous quitter sans un au revoir ?

Perchés sur la branche qui soutiendrait leur hamac pendant la nuit, Olian et Aïnako fixaient l'énorme pastille rougeoyante du soleil couchant. Aucun des deux ne parlait. La pluie avait fini par cesser, mais leurs cheveux et leur uniforme n'avaient pas eu le temps de sécher. Près d'eux, Kaï dormait déjà dans son propre hamac. Son bras était guéri, mais elle avait besoin de sommeil pour permettre à sa lumière de se régénérer.

Les renards étaient revenus une fois les combats terminés et venaient tout juste de repartir avec les morts enveloppés dans leur linceul de feuilles et de tiges, ainsi que les blessés qui auraient besoin de plusieurs jours pour guérir et les prisonniers attachés et menottés de diamant noir. Naïké était partie avec eux, non sans avoir d'abord protesté, plaidé qu'elle se remettait toujours très vite de ses blessures, promis que son aile fraîchement rafistolée serait entièrement fonctionnelle le lendemain, le surlendemain au plus tard, juré qu'elle ne se rappelait même plus l'endroit exact où la lame l'avait touchée, mais Éléssan n'avait rien voulu entendre. Il avait seulement souri en passant une main sur son front pour repousser quelques mèches de cheveux vert d'eau devenus vert forêt à cause de la pluie.

— Arrête avec ta compassion ! s'était-elle écriée en chassant sa main. Aïnako, dis-lui que vous avez encore besoin de moi.

— Tu vas me manquer, avait-elle répondu en se forçant à sourire.

— Quoi ? Mais non ! Éléssan, tu sais que même avec une aile en moins je vaux plus que trois de tes soldats valides. Je peux encore être utile…

— Pas si tu te fais tuer parce que tu ne peux pas voler, avait répliqué Éléssan, d'une voix douce, mais sans appel. Je peux te suspendre, Naïké ! Et tu sais que je vais le faire si tu refuses de m'écouter.

Naïké s'était donc contentée de serrer les dents en le fusillant du regard.

Aïnako se demandait où était rendue son amie et si les renards empruntaient la route que la troupe avait prise. Un poids immense pesait sur sa poitrine, comme si la brûlure que lui avait causée sa lumière en explosant avait creusé un vide que toutes ses peurs, toutes ses inquiétudes et toutes ses peines s'étaient empressées de remplir. Elle s'était montrée brave devant Naïké, mais elle se demandait si cela valait la peine de continuer. Avaient-ils vraiment une chance de réussir, maintenant que Naïké était partie avec une vingtaine des leurs ?

Dans le discours qu'il avait prononcé après le départ des renards, Éléssan avait dit qu'il refusait d'annuler la mission. L'effet de surprise était peut-être ruiné, mais Taïs avait commis une erreur en les attaquant ainsi. Selon lui, l'armée de Shamguèn n'avait ni l'organisation ni l'expérience de celle d'Élimbrel. Très peu de militaires avaient suivi Taïs quand elle s'était enfuie et l'expérience de la plupart de ses soldats se limitait à quelques décennies. À peine plus de trois siècles si on tenait compte de la mémoire parentale de certains. Une bagatelle en comparaison de l'immense tradition militaire d'Élimbrel.

Il avait donc envoyé un messager à Lilibé pour demander des renforts et, en attendant, ils se déplaceraient continuellement, à pied ou en volant. Ils ne feraient plus appel à des animaux ; les risques étaient trop élevés, Taïs semblait avoir des oreilles partout. Mais ils savaient maintenant qu'elle les attendait et ils venaient d'éliminer une bonne partie de son armée. Taïs avait probablement espéré les tuer avant qu'ils n'atteignent Shamguèn, mais sa stratégie s'était retournée contre elle. Ils débarqueraient chez elle comme un raz de marée, avec pour seul objectif de la supprimer.

Il avait conclu en ajoutant, les yeux brillants, très convaincant, que si un seul soldat d'Élimbrel parvenait à se faufiler jusqu'à Taïs et à la tuer, ils auraient tous réussi leur mission. À ces mots, Aïnako avait senti son estomac se contracter. Elle savait à qui il pensait.

— Tu sais pourquoi je me suis enrôlé dans l'armée? demanda soudain Olian en l'arrachant à ses réflexions.

Elle se tourna vers lui. Il la regarda un moment, sourit légèrement et poursuivit:

— Une des tactiques préférées de Taïs est de couper les communications entre Lilibé et les villages. Elle sabote les réseaux, enlève les animaux, tue les insectes... Après, ses soldats assiègent les villages et font croire aux habitants que Lilibé les a abandonnés. Et ça marche. Les gens les croient et, souvent, décident d'eux-mêmes de rallier Shamguèn. C'est quand il y en a qui résistent que ça se gâte. Mon village est parmi ceux qui résistent. Il faut alors envoyer un messager à Lilibé, espérer qu'il se rende et attendre l'armée. Mais, évidemment, on n'a pas toujours le temps d'attendre. J'ai vu beaucoup de batailles depuis ma naissance et encore plus de morts, encore plus de blessés. Ma mère est guérisseuse. Tu étais au courant?

Aïnako fit signe que oui, Naïké le lui avait dit. Olian aussi aurait dû devenir guérisseur. Il avait été l'apprenti de sa mère toute sa vie, jusqu'à ce qu'il s'inscrive à l'Académie.

— J'avais neuf ans la première fois que je l'ai aidée à guérir un blessé, enchaîna-t-il en faisant naître un filet de lumière rouge dans ses mains. L'armée de Shamguèn venait d'attaquer notre village. Mais on a été chanceux, l'armée d'Élimbrel était juste à côté et on a pu s'enfuir. Ma mère m'avait laissé avec mon père pour pouvoir rester dans les environs et s'occuper des blessés. J'ai attendu qu'il s'endorme avant d'aller la rejoindre. Je voulais sauver des vies, moi aussi. La bataille était terminée et il y avait du sang partout. Ma mère m'a engueulé comme elle ne m'avait jamais engueulé, mais elle m'a quand même permis de l'aider. J'en ai fait des cauchemars pendant des mois, mais j'ai continué à l'aider. Chaque fois qu'on entendait qu'une bataille avait eu lieu pas trop loin de notre village, on partait ensemble pour aller soigner les blessés. Un jour, je me suis dit que, si je pouvais aider à en finir avec la guerre, si je pouvais intervenir pour qu'il n'y ait plus de blessés, ce serait encore mieux. Et je me suis enrôlé dans l'armée.

Il haussa les épaules et eut un sourire de dérision.

— C'est stupide, je sais, parce que je fais moi-même des blessés chaque fois que je me bats, mais je n'aurais jamais pu rester dans mon village, tu comprends ? Je n'aurais jamais pu continuer à regarder les batailles de loin pour ensuite aller soigner les blessés et constater qu'ils sont presque tous morts au bout de leur sang… C'est ma troisième bataille depuis que j'ai quitté mon village. J'ai tué quatre soldats en tout. C'est toujours mieux de faire des prisonniers, mais quand on n'a pas le choix… Je me dis qu'en en tuant un, j'en sauve plusieurs, des soldats autant que des civils, qui seraient morts aujourd'hui ou plus tard.

Il se tut. Aïnako sentit sa gorge se serrer. Olian continuait à faire lentement glisser sa lumière entre ses doigts ; ses longues tresses dissimulaient à moitié son profil.

— Je comprends, murmura Aïnako.

Olian se tourna vers elle. Ils restèrent ainsi un moment à se regarder en silence, puis une main se posa sur l'épaule d'Aïnako. Elle sursauta.

— Je peux te parler ? demanda Éléssan, la mine grave, sans enlever sa main.

Olian fut aussitôt sur ses pieds pour saluer le commandant. Éléssan lui rendit son salut et lui fit signe qu'il pouvait se rasseoir. Olian le remercia et offrit une main à Aïnako pour l'aider à se lever.

— Je vais t'attendre ici, dit-il en relâchant ses doigts.

Aïnako acquiesça et suivit le commandant. De quoi pouvait-il bien vouloir lui parler ? Ils s'arrêtèrent au sommet d'un grand arbre, assez loin du reste de la troupe. Il s'assit sur une branche en face du soleil couchant qui embrasait ses cheveux et invita Aïnako à le rejoindre.

— Tu as tué quelqu'un pendant la bataille ?

Le cœur d'Aïnako se mit à cogner et elle chercha ses mots avant de répondre d'une petite voix étouffée :

— Un seul ennemi, enfin, je crois, mais je ne voulais pas... C'était... un accident.

Elle manqua soudain d'air et s'arrêta, incapable de poursuivre, se demandant si elle arriverait un jour à oublier le regard qu'il avait eu juste avant de mourir, quand il avait compris que c'était la fin, que son immortalité s'arrêtait là.

— Il n'y a jamais d'accidents dans une bataille, dit doucement Éléssan. Tu veux en parler ?

— Je... non... pas maintenant.

Il hocha la tête et esquissa un de ces sourires tristes qu'il avait souvent depuis quelque temps.

— Tout à l'heure, dit-il après plusieurs secondes de silence, j'ai sauvé la vie de Naïké.

Sans moi, elle serait probablement morte et je ne pouvais pas supporter qu'elle meure. Quand je l'ai vue s'affaisser, à plat ventre dans la boue, avec une aile arrachée et tout ce sang qui coulait, j'ai tout lâché. Tout ce temps où je suis resté avec elle à l'empêcher de mourir, j'aurais pu sauver je ne sais combien de blessés, des nôtres et de nos ennemis, qui sont morts parce qu'aucun guérisseur n'a pu s'occuper d'eux. J'en étais conscient. Mais je voulais la sauver.

Il se tut un instant et murmura :

— La guerre rend égoïste.

Aïnako leva les yeux vers les nuages mauve et rose qui s'effilochaient au-dessus d'eux, puis les ramena à ses mains croisées.

— Si ça te rend égoïste, moi ça me rend monstrueuse.

Éléssan passa un bras autour de ses épaules. Elle avala sa salive.

— Quand j'ai vu le soldat, celui que j'ai… celui qui a… J'étais sûre qu'il l'avait tuée, qu'il avait tué Naïké. J'étais sûre qu'elle était morte et ça a été comme… j'ai juste arrêté de penser, mon cerveau a arrêté de fonctionner et je me suis jetée sur lui. Je n'ai même pas pensé à rester près d'elle, à essayer de la soigner même si je ne sais pas comment, ou au moins à la réconforter. Je me suis juste jetée sur lui comme un animal et je voulais vraiment le tuer, vraiment, c'est ce que je voulais, mais…

Sa gorge se contracta au point de l'asphyxier. Il resserra son étreinte sur ses épaules. Comment pouvait-il la regarder avec ce regard bienveillant après ce qu'elle venait de lui dire ? Alors qu'il avait eu le réflexe de vouloir sauver Naïké, elle avait réagi comme une bête sauvage, comme un monstre. Elle était une amie horrible, elle était horrible.

— Je suis horrible !

— Tu n'es pas horrible, Aïnako. Tu as réagi comme n'importe qui aurait réagi. Ça nous est tous arrivé de se laisser emporter. Parfois, on ne peut pas faire autrement.

Elle frissonna. Elle avait froid, tout d'un coup. Elle observa le visage calme de son ami et demanda d'une voix à peine audible :

— Est-ce qu'on finit par s'habituer ? À tuer, je veux dire, pendant une guerre.

Il la regarda longtemps.

— Oui et non. On finit par comprendre que c'est inévitable, mais ça ne devient jamais facile. Et il ne faut pas que ça le devienne. C'est la guerre, qu'il faut essayer d'éviter. Tu as fait ce que tu devais faire, rien de plus, rien de moins.

Elle acquiesça lentement, la gorge tellement nouée qu'elle semblait sur le point d'éclater.

— Tu n'as pas eu d'autres souvenirs de la vie de ta mère ?

Elle baissa les yeux. Elle ne savait pas si elle devait lui révéler les scènes qu'elle avait vues entre Iriel et Silmaëlle. Éléssan pourrait peut-être l'aider à comprendre, mais les émotions qu'elle avait ressenties pendant qu'elle se trouvait dans la tête de sa mère étaient trop confuses pour qu'elle puisse les exprimer. Elle avait l'impression absurde que le seul fait d'en parler, même à Éléssan, serait comme une trahison.

— Il y a quelque chose que je devrais savoir ? se contenta-t-elle de demander.

Un trouble à peine perceptible traversa son regard. Il prit une courte inspiration, comme pour dire quelque chose, mais baissa la tête et garda le silence. Quand il releva les yeux, son visage était tendu.

— Je crois que je me suis trompé, Aïnako. Je n'aurais jamais dû t'amener. J'aurais dû te renvoyer à Lilibé avec Naïké. C'est d'ailleurs ce que je vais faire dès que les renforts seront arrivés. Tu rentreras à Lilibé et tu attendras avec Naïké.

Il avait parlé d'un ton ferme, mais Aïnako voyait bien qu'il doutait.

— Je croyais que j'étais la seule à pouvoir vaincre Taïs !

— C'est ce que ta mère croyait, mais elle n'est pas là. Elle ne t'a pas vue au milieu d'une bataille, entourée d'ennemis prêts à t'égorger. Même si tu es véritablement la seule à pouvoir arrêter Taïs, je ne peux pas accepter que tu risques ta vie, je ne peux pas accepter que tu…

— Et moi je ne peux pas rentrer maintenant, l'interrompit-elle en réalisant qu'il voulait vraiment la renvoyer à Lilibé. Comment est-ce que je ferais pour vivre, s'il vous arrivait malheur ? S'il t'arrivait malheur parce que j'ai eu peur et que j'ai abandonné la mission que ma mère m'avait confiée, la seule chose qu'elle m'ait confiée avant de mourir ? Parce que tu sais bien qu'elle mourra si Taïs n'est pas défaite. Elle mourra. Et toi aussi, et tous les autres. Tu crois vraiment que je pourrais continuer à vivre si tout le monde meurt et que, moi, je reste en vie ? Ce serait pire que… pire que tout. Et tu es là, non ? Il ne peut rien m'arriver tant que tu es avec moi.

Éléssan eut un autre sourire, encore plus triste que le premier.

— Tout à l'heure, je t'ai dit que j'avais tout lâché pour sauver Naïké. Et c'est vrai. Mais, quand je t'ai vue te précipiter vers son agresseur, j'ai hésité. Et je te jure que cette seconde d'hésitation a été la plus longue de toute ma vie. C'est Iriel qui a tranché pour moi. Il m'a ordonné – ordonné, tu te rends compte ? – de m'occuper de Naïké pendant qu'il s'occupait de toi.

— Il sait ? Il sait qui je suis ?

— Il comprend que je tiens à toi autant qu'à Naïké.

— Mais je ne l'ai pas vu.

— Il serait intervenu si tu avais été en difficulté. Il a toujours été un excellent commandant. Aïnako, promets-moi d'être prudente. Promets-moi de ne pas affronter Taïs toute seule. Je sais que tu es forte, mais tu n'as pas encore bien apprivoisé ta force, tu n'es pas encore capable d'en exploiter le plein potentiel. Promets-moi de faire attention.

Elle promit et il sourit. Un vrai sourire, cette fois. Elle le lui rendit et appuya sa tête sur son épaule. La nuit était complètement tombée.

Elle sentait qu'il pensait encore à la renvoyer à Lilibé, mais savait qu'il n'en ferait rien. Il était bien conscient que, sans elle, sans son foutu don, ils ne réussiraient jamais à arrêter Taïs.

Aïnako soupira. Si seulement c'était Éléssan qui en avait hérité, de ce fameux don. Lui au moins saurait l'utiliser comme il faut, à son plein potentiel et avec une maîtrise parfaite. Mais il fallait que ce soit tombé sur elle. Elle ne reculerait pas, évidemment, elle irait jusqu'au bout, mais elle ne pouvait s'empêcher de souhaiter que les choses soient différentes.

Bien sûr, elle ne serait pas seule, elle aurait l'aide d'Éléssan et des autres, mais, au bout du compte, ce serait quand même elle qui devrait affronter Taïs et la vaincre. Que ce soit en la tuant ou autrement.

# 4

## La gnome

Le soleil venait de se lever et ils volaient en silence entre les branches et les troncs encore couverts d'ombre. Cela faisait trois jours qu'ils se déplaçaient sans but précis en attendant les renforts, ne s'arrêtant jamais plus de quelques heures au même endroit, même pour dormir.

Aucun incident n'était survenu, aucune attaque-surprise, mais Aïnako avait parfois l'impression d'entendre des bruits de combat au loin, à travers la rumeur constante des oiseaux et du vent. C'était probablement son cerveau qui n'arrivait pas à oublier la dernière bataille, comme si elle avait une chanson macabre dans la tête, mais ses muscles se crispaient et la peur la prenait au ventre chaque fois qu'un animal se sauvait ou criait un peu fort.

Éléssan prévoyait que les renforts seraient

au point de rendez-vous avant une semaine et qu'il leur faudrait encore deux ou trois jours pour atteindre l'entrée de Shamguèn.

Aïnako n'avait pas eu d'autre vision depuis les deux dernières où figurait Iriel, mais elle ne cessait de se les rejouer dans sa tête. Elle essayait de se rappeler ce qu'elle avait ressenti dans l'esprit de sa mère, mais tout était mêlé et elle n'arrivait plus à départager ses propres sentiments et ceux de Silmaëlle. Tout paraissait irréel, surtout avec le ciel bleu infini, le soleil qui lui réchauffait la peau et les feuilles vertes omniprésentes.

Avec un peu de volonté, elle aurait presque pu se convaincre que tout n'avait été qu'un rêve, que la bataille n'avait jamais eu lieu et qu'ils n'arriveraient jamais en Shamguèn. Mais elle se rappelait le sang de Naïké partout, celui du soldat, le poids de son corps sur son épée, ses yeux immobiles sous la pluie.

— Elfes d'Élimbrel !

Aïnako sursauta et tous les soldats stoppèrent net pour regarder vers le sol. Une silhouette noire se tenait au milieu d'une plaque de terre brune. On aurait dit une elfe sans ailes qui les regardait dans une attitude de défi, les poings sur les hanches et une épée au côté. Éléssan fit signe à ses soldats de le suivre et se posa devant celle qui les avait interpellés.

L'inconnue était entièrement vêtue de noir, de la tête aux pieds et jusqu'au bout des doigts. Même ses yeux et sa bouche étaient invisibles derrière la cagoule qu'elle portait sous son capuchon.

— Une gnome ? fit Kaï à côté d'Aïnako.

Kaï n'était pas la seule à se poser des questions. Les autres aussi affichaient un air étonné, même inquiet.

— Je me nomme Roljem et je viens du royaume d'Okmern, commença l'inconnue. Ma maîtresse, la princesse Varénia d'Okmern, m'a chargée de vous mettre en garde. Son frère, le roi Valrek d'Okmern, vous tend un piège. Il s'est allié à votre ennemie, la reine Taïs de Shamguèn, dans le but de vous exterminer jusqu'au dernier.

— Valrek et Taïs se sont unis ? s'étonna Éléssan en fronçant les sourcils.

— Valrek et Taïs ont un but commun, vous écraser. Taïs pour les raisons que vous connaissez, Valrek parce qu'il est persuadé qu'Élimbrel exploite injustement Okmern depuis des siècles. Ou peut-être seulement parce qu'il est d'un naturel enclin à la violence et qu'il déteste tout ce qui est vert et a des ailes.

Éléssan croisa les bras.

— Les gnomes se mêlent donc des affaires des elfes, après tout !

— Pas tous les gnomes. Seuls ceux qui restent fidèles à Valrek ou qui en ont trop peur.

— Si Valrek et Taïs se sont effectivement alliés comme vous le prétendez, j'imagine que c'était vous que l'armée de Shamguèn attendait, pendant la bataille de Lilibé.

— Ce n'était pas nous, mais les soldats de Valrek. Notre groupe s'oppose depuis longtemps, quoique dans l'ombre, aux actions du roi. C'est nous qui avons empêché les renforts de Taïs d'atteindre votre cité et je suis encore ici pour vous aider.

— Nous aider? Nous aider à quoi?

— Si vous continuez par là, vous arriverez bientôt à une sorte de saillie rocheuse sur laquelle des arbres ont poussé…

— Je connais la forêt, dit Éléssan.

— Je n'en doute pas. Comme je ne doute pas que vous savez que le royaume d'Okmern se trouve en partie sous vos pieds. Mais ce que, de toute évidence, vous ignorez, c'est que chaque creux dans la pierre de cette proéminence est maintenant relié au réseau souterrain d'Okmern et que Valrek y a fait poster ses meilleurs tireurs de kgag.

— De quoi? chuchotèrent plusieurs elfes à leurs voisins.

— Il s'agit d'une arme très ancienne, répondit Roljem. Elle n'a pas été utilisée depuis des siècles, mais Valrek a récemment décidé de lui redonner ses lettres de noblesse. C'est une corde attachée à une pierre, du diamant noir la plupart du temps, qu'il suffit de lancer sur sa proie, un elfe la plupart du temps, pour la ramener au sol. Ou sous terre. Valrek a fait ouvrir des brèches partout dans la pierre et ses soldats sont prêts à vous attraper et à vous emprisonner ou, ce qui est plus probable, à vous tuer.

— Mais comment Valrek a-t-il su que nous passerions par ici ? demanda Éléssan.

— Croyez-vous que les elfes sont les seuls à pouvoir communiquer avec les animaux ?

— Non, bien sûr que non !

— Les autres membres de notre groupe tentent en ce moment même de saboter le plan que Valrek a mis en œuvre pour vous piéger. Ne bafouez pas leurs efforts en vous jetant vous-même dans la gueule du loup, commandant Éléssan d'Élimbrel.

— Et pourquoi devrais-je vous croire ? Pourquoi des gnomes aideraient-ils des elfes ?

— Parce que nous ne voulons plus vivre dans la peur. Si Okmern s'en prend à Élimbrel, Élimbrel s'en prendra à Okmern et les morts s'empileront dans les deux camps.

— Savez-vous si Valrek a l'intention

d'envoyer son armée en Shamguèn pour aider Taïs à nous combattre ?

— Ça m'étonnerait qu'il en ait l'intention pour le moment, puisqu'il croit encore qu'il réussira à vous capturer dans quelques instants, mais l'idée risque de lui passer par la tête ou par celle de Taïs quand ils apprendront que l'embuscade a échoué.

— Il y a beaucoup de membres de votre organisation dans l'armée ?

— Près de la moitié des soldats, tous grades confondus. Les militaires sont souvent les premiers à constater la cruauté d'un régime.

Éléssan haussa les sourcils, impressionné. Puis il les fronça.

— Si la moitié de l'armée fait partie de votre groupe, pourquoi n'avez-vous jamais tenté de renverser le roi ?

— Nous voulons d'abord nous assurer que la population souffrira le moins possible dans l'affrontement. Mais nous n'aurons probablement pas le choix de nous afficher au grand jour si Valrek envoie l'armée d'Okmern soutenir celle de Shamguèn.

Le commandant hocha la tête pour montrer qu'il comprenait.

— Très bien, je crois que vous dites la vérité. Nous rebrousserons chemin, mais j'aimerais m'entretenir avec votre maîtresse ou le chef de votre groupe pour que nous puissions élaborer une stratégie commune.

— Sage décision, approuva Roljem. Attendez dans ce grand hêtre.

Elle pointait un arbre derrière eux. Elle poursuivit :

— Il s'agit d'un des points de rencontre de notre groupe. Nous vous enverrons un messager dès que ce sera possible, mais notre chef ne pourra probablement pas vous rencontrer avant ce soir ; les événements ne font que se bousculer depuis quelques jours.

Éléssan la remercia et inclina la tête pour la saluer avant de se tourner vers ses soldats.

— Vous avez entendu ? Suivez-moi. Et sortez vos épées.

Il s'envola. Les elfes le suivirent en échangeant des regards anxieux. Aïnako volait aux côtés de Kaï et d'Olian. Autour d'eux, certains soldats maugréaient entre leurs dents.

— On n'aurait pas dû lui faire confiance, à cette gnomesse.

— Il ne faut jamais se fier à un gnome, tout le monde sait ça.

Mais ils se turent quand Iriel arriva près d'eux. Il n'était peut-être plus leur commandant, mais sa seule présence semblait les rendre nerveux.

— Bon, se risqua quand même un autre

soldat, ça fait cinq minutes qu'on vole et il n'y a pas eu d'incident.

Aïnako reconnut la voix condescendante de Goneïa.

— Ce qui prouve qu'Éléssan a eu raison de se fier à la gnome, répliqua-t-elle.

— Ou que même une armée de gnomes ne vaut rien en face de…

— AAAAARRR !

Aïnako jeta un regard alarmé autour d'elle. Elle eut à peine le temps de voir Kaï et Olian ainsi qu'une dizaine d'autres soldats se démener dans ce qui ressemblait à des filets de pêche avant qu'ils ne soient happés sous terre. D'autres filets surgirent. Plusieurs n'attrapèrent que des feuilles, mais la plupart trouvèrent leurs cibles. Certains prisonniers réussirent à se libérer grâce à leur épée, mais les autres eurent à peine le temps de hurler de terreur en disparaissant dans les trous noirs qui parsemaient le sol de la forêt.

La gnome les avait-elle trompés ? Les avait-elle seulement retardés pour permettre à ses acolytes de se préparer en perfectionnant leurs kgags ou peu importe le nom de ces pièges ?

— Plus haut ! ordonna Éléssan.

Les quatre ailes d'Aïnako fouettèrent l'air. Trop tard. Elle vit le filet jaillir de terre, elle le vit l'envelopper et l'enserrer et elle se sentit tirée vers le bas. Elle commença à percer les mailles de sa prison avec son épée, mais les cordes étaient trop dures ; elle ne pourrait jamais faire un trou assez grand. Prise de panique, elle voulut faire exploser sa lumière. Rien ne se produisit. Sa lumière refusait de lui obéir. Pire, elle ne la sentait même plus.

Elle avait presque atteint le sol quand quelqu'un s'accrocha à son filet. Iriel parvint à agrandir l'ouverture qu'elle avait entamée. Il l'empoigna par le bras et la tira vers le ciel. Dès qu'elle fut libérée, elle sentit sa lumière ressurgir comme un volcan au creux de son ventre. Mais Iriel n'eut pas le temps de l'entraîner bien loin. Un autre filet les saisit. Cette fois, elle vit distinctement les minuscules diamants noirs enchâssés dans ses mailles. À deux, ils réussirent à percer un trou assez large pour leur permettre de s'échapper.

Mais l'obscurité les avait déjà engloutis. Aïnako entendit le coup sur son crâne, elle le sentit résonner le long de sa colonne vertébrale, puis plus rien.

Elle dut mobiliser toute sa volonté pour soulever ses paupières closes et sa tête qui dodelinait sur sa poitrine. Une douleur lancinante, comme un million d'aiguilles qui se seraient enfoncées dans son cerveau, lui arracha une grimace. Ses pieds se balançaient dans le vide et les muscles de ses bras menaçaient de se déchirer. Tout son corps n'était retenu que par un anneau de pierre glacée qui s'enfonçait dans la chair de ses poignets et était attaché au mur, de pierre également, qui se trouvait dans son dos et lui écrasait les ailes.

Elle tenta d'aviver sa lumière et ses doutes se confirmèrent. Du diamant noir. Évidemment.

Elle regarda autour d'elle. Elle se trouvait dans une pièce plus ou moins carrée. Le sol, les murs, le plafond, tout était en pierre brute. Il n'y avait pas de fenêtres, mais une porte semblait avoir été taillée dans un des murs et bouchée de l'extérieur par une pierre plate. En face d'Aïnako, Kaï et Iriel avaient eux aussi été pendus par les poignets. Aucun des deux ne semblait conscient, mais, à côté d'elle, Olian s'échinait à tirer de toutes ses forces sur l'anneau noir qui le retenait, en s'aidant de ses pieds nus qui raclaient le mur humide derrière lui, pour s'élever de quelques millimètres et se donner plus de force. Non contents de les avoir dépouillés de leur épée, les gnomes leur avaient aussi pris leurs bottes et leur veste, leur laissant tout de même leur t-shirt et leur pantalon.

— Olian, appela Aïnako à voix basse pour éviter d'attirer l'attention des gardes qui étaient certainement postés de l'autre côté de la porte.

— Aïnako ? répondit Olian en tournant la tête vers elle, mais sans la regarder. C'est toi ?

Elle le dévisagea, mais il semblait déterminé à garder les yeux baissés.

— Olian, ça va ? Pourquoi ne me regardes-tu pas ?

— Ha ! ha ! content de voir que tu n'as pas perdu ton sens de l'humour. Mais comment as-tu su que c'était moi ?

Aïnako ne répondit pas. Le diamant noir pouvait-il perturber la vue – ou la raison – de certains elfes ?

— Je crois qu'il y a deux autres personnes avec nous, continua Olian. Je n'étais pas totalement assommé quand ils nous ont emmenés, je les ai entendus les accrocher au mur.

— Oui. Kaï et Iriel.

— Possible. C'est vrai qu'ils étaient près de nous. Mais beaucoup d'autres soldats ont été capturés. Ça pourrait être n'importe qui.

— Mais de quoi tu parles ? Ils sont là, en face de nous. Kaï commence même à se réveiller. Oh, Kaï, tu m'entends ?

— Allo ? fit la voix endormie et inquiète de Kaï. Aïnako, c'est toi ?

Elle aussi écarquillait de grands yeux aveugles.

— Bien sûr que c'est moi ! Tu ne me vois pas ?

— Non. Tout est noir. Toi, tu me vois ?

— Mais oui, très bien !

— Tu me vois ? Pourquoi pas moi ? Tu crois que je suis aveugle ? Ces saletés de gnomes m'ont crevé les yeux !

— Tu n'es pas aveugle, dit Olian. On est dans un cachot gnome. Aucune lumière ne peut…

— Mais je vous assure que je vous vois comme en plein jour ! l'interrompit Aïnako. Enfin, pas comme en plein jour, plutôt comme en pleine nuit. En fait, c'est comme si c'était la pierre qui dégageait de la lumière.

— La pierre ?

— Oui, la pierre. C'est pas très fort, mais…

— La pierre ? répéta Kaï.

— Mais oui ! T'es sourde, ou quoi ?

— Non, mais tu dois avouer que c'est quand même bizarre !

— Bizarre ou pas, c'est ce que je vois. Et je te vois froncer les sourcils comme si tu ne me croyais pas.

Olian eut un rire amusé. Elle tourna la tête vers lui.

— Quoi ? Tu ne me crois pas, toi non plus ?

— Bien sûr que je te crois. Je vous trouve drôles, c'est tout.

Il souriait. Elle ne put s'empêcher de sourire à son tour, même en sachant qu'il ne pouvait pas la voir, et recommença à examiner les six surfaces raboteuses de leur cellule.

— Bon, dit-elle en essayant de ne pas avoir l'air trop découragée. Il ne me reste donc plus qu'à trouver un moyen de nous sortir d'ici.

— Bel esprit d'initiative, lança la voix rauque et sarcastique d'Iriel. Quatre elfes désarmés pris dans le diamant noir contre un tas de gnomes bardés d'épées d'acier plus aiguisées que vos langues…

— Alors, on fait quoi? le coupa Aïnako, irritée.

— J'y réfléchissais avant que votre babillage me déconcentre.

— Et ta réflexion a porté ses fruits?

Iriel sembla la chercher du regard, même s'il était clair qu'il n'y voyait rien, et il eut un drôle de sourire, moitié moqueur, moitié intrigué, qui la paralysa. C'était le même sourire qu'il avait adressé à sa mère alors qu'elle l'observait depuis le balcon des recrues.

— Non, dit-il d'un ton railleur, et je commençais même à désespérer quand, de manière assez ironique, votre babillage m'a littéralement ouvert la voie de l'illumination.

— Et on peut savoir c'est quoi, cette illumination? demanda-t-elle en espérant que sa voix ne trahisse pas son trouble.

— Je crois que tu as du sang gnome, dit Iriel sans la moindre intonation.

— Qui? Moi? s'écria Aïnako, à moitié étouffée.

— Bien sûr, toi. Mais ça pourrait remonter à plusieurs générations.

— Et je peux savoir ce qui te fait croire ça? Aux dernières nouvelles, j'avais autant d'ailes et la peau aussi verte que vous.

— Tu vois le rayonnement de la pierre. Sauf le diamant noir, évidemment, toutes les pierres émettent une sorte d'énergie que les gnomes perçoivent comme de la lumière. Et l'apparence physique n'a rien à voir, c'est la race de la mère qui détermine la race de l'enfant.

— Et alors? s'impatienta Kaï. Qu'est-ce que ça peut bien changer? Les elfes et les gnomes ont toujours été en contact les uns avec les autres. Je parie que des tas d'elfes ont du sang gnome sans même le savoir et vice-versa.

— C'est Aïnako qui va nous sortir d'ici, murmura Olian comme s'il venait lui aussi d'être frappé par une révélation.

— En voilà au moins un qui a retenu ses leçons à l'école, approuva Iriel.

— Mais oui ! s'exclama Kaï à voix basse. Aïnako, essaie de faire bouger le mur.

— Le mur ? Tu es folle ! C'est de la pierre !

— Les gnomes peuvent parler aux pierres juste en les touchant, dit Olian. Il y en a même qui arrivent à leur faire faire ce qu'ils veulent par la seule force de leur pensée, comme nous avec les plantes. C'est comme ça qu'ils ont réussi à fabriquer ces anneaux. Ils n'ont eu qu'à ordonner à la pierre de se tordre et elle leur a obéi. Peut-être que tu serais capable, toi aussi.

— Euh… ça m'étonnerait. Jamais un caillou ne m'a adressé la parole de toute ma vie.

— Essaie quand même, la pressa Kaï. C'est peut-être notre seule chance.

— À moins que tu aies un meilleur plan à proposer, dit Iriel.

Comme elle n'avait justement rien d'autre à proposer, Aïnako grommela :

— D'accord, d'accord !

Elle tendit les doigts en se tordant les bras pour les poser contre le mur. Elle resta ainsi un moment, immobile, à ne rien sentir du tout à part peut-être une pointe de ridicule. Elle fut tentée de retirer ses doigts, mais elle persista et, à force de les écraser contre la pierre, finit par percevoir quelque chose, une vibration, des pulsations diffuses.

Elle ferma les yeux et eut l'impression que tout un monde s'ouvrait à elle. Elle sentait comme un prolongement de son corps la pierre qui les entourait et s'étendait au-delà de leur cellule. Elle se concentra davantage et réussit à sentir la terre qui enveloppait la pierre, ainsi que les milliers de cailloux qu'elle contenait. Elle ramena son attention sur le mur où étaient fichés les anneaux, mais elle eut beau se concentrer, parler à la pierre comme elle parlait aux animaux, tenter de ne faire qu'un avec le roc, rien ne se produisit.

Pourtant, elle commençait à percevoir un mouvement distinct, un battement net et régulier qui résonnait de plus en plus fort dans ses bras. Des pas.

— Quelqu'un approche, dit-elle sans ouvrir les yeux.

— Vite ! chuchota Kaï. Essaie au moins de te libérer, toi. Avec ta lumière, les gnomes ne résisteront pas longtemps et tu pourras nous libérer après.

Aïnako se concentra sur l'anneau qui lui enserrait les poignets, mais le diamant noir lui était inaccessible. Elle le sentait plus complexe que la simple pierre grise des murs. Elle reposa donc les doigts sur la paroi rocheuse et constata que l'anneau était enchâssé directement dans le roc. Un trou semblait avoir été percé dans une bosse qui saillait du mur et l'anneau passait à travers. Mais aucune ouverture ni aucune fissure n'était perceptible.

Ne sachant que faire d'autre, elle se mit à souhaiter de toutes ses forces que l'espèce de bande rocheuse qui retenait son anneau se scinde en deux, se sépare du mur, se liquéfie, mais elle ne perçut que les pas qui étaient maintenant tout près, qui s'arrêtaient devant leur cellule.

La pierre qui bloquait la porte glissa dans un grondement sourd et deux gnomes entrèrent, armés et vêtus comme celle qui les avait si bien leurrés, sauf que leur cagoule et leur capuchon pendaient sur leurs épaules. La peau de leurs mains et de leur visage était excessivement blanche et lisse, et Aïnako réalisa que les premiers gnomes qu'elle avait vus avant d'arriver à Lilibé n'avaient pas la peau grise et crevassée comme elle l'avait cru, mais qu'ils s'étaient sans doute enduits de glaise pour se protéger du soleil.

— Je m'appelle Karask et voici la princesse Varénia, annonça le plus grand des deux, qui était complètement chauve et qui portait un tatouage noir sur la gorge, le long de la jugulaire gauche. Nous faisons partie du même groupe que Roljem et nous sommes venus vous sortir d'ici.

— Pour nous amener où ? s'écria Kaï d'une

voix à fendre le verre. À l'abattoir? Allumez donc un peu qu'on voie vos faces de traîtres!

— Roljem ne vous a pas trahis, répliqua froidement celle que Karask avait appelée Varénia. C'est Valrek qui a changé ses plans à la dernière seconde.

— Il devait y penser depuis longtemps, ajouta Karask. Creuser un tunnel dans la terre est beaucoup plus long que d'en creuser un dans la pierre. Il devait savoir que nous enverrions un membre de notre groupe à votre rencontre. Malheureusement, quand nous l'avons appris, il était trop tard pour avertir Roljem sans risquer de nous faire démasquer.

— Vous avez donc préféré sacrifier des elfes innocents! s'offensa Kaï.

Les gnomes ne répondirent pas. C'était compréhensible, l'évidence même. Déjà qu'ils les aidaient malgré l'animosité légendaire qui régnait entre leurs deux races, il ne fallait pas charrier.

Varénia, dont les longs cheveux noirs formaient une épaisse tresse enroulée comme un serpent autour de son cou, releva sa manche et posa sa paume contre le mur. Sa main était parcourue de symboles sombres qui partaient du bout de ses doigts et remontaient le long de son bras. Ses yeux gris s'arrêtèrent sur chacun des elfes et elle esquissa un léger sourire.

L'instant d'après, Aïnako sentit la pierre rejeter son anneau et, encore trop près du mur pour pouvoir ouvrir les ailes, elle s'écrasa au sol en même temps que ses amis, les mains toujours prises dans le diamant noir.

— Aïe ! lâcha Kaï. Vous auriez pu nous prévenir.

— Où sont les autres prisonniers ? demanda Iriel en ouvrant les ailes pour se relever.

— Nos camarades sont en train de les libérer, répondit Karask. Nous avons dû nous diviser en plusieurs groupes ; vos cellules étaient trop éloignées les unes des autres. Nous les retrouverons à l'extérieur.

Il aida Aïnako et Olian à se mettre debout et les prit chacun par un bras, tandis que Varénia faisait de même avec Kaï et Iriel. Les deux gnomes entraînèrent les quatre elfes vers la porte du cachot. Aïnako se rendit compte que le diamant noir ne lui avait pas seulement ravi sa lumière, il avait également ramolli ses muscles et ses réflexes au point qu'elle titubait légèrement sur ses jambes et qu'elle trébucha au premier pas.

— Vous ne pouvez pas nous enlever ces trucs d'abord ? demanda-t-elle en agitant les poignets.

— Nous n'avons pas la clé, s'excusa Karask. Vous devrez faire avec.

— Je croyais que les gnomes maniaient la pierre.

— Notre pouvoir n'est pas assez grand pour agir sur le diamant noir, dit Varénia d'un ton sec. Le commandant pourra vous libérer.

— Attendez, dit Iriel en les arrêtant avant qu'ils n'atteignent la porte. Nos épées.

Karask secoua la tête et, comme s'il venait de se rappeler que les elfes ne pouvaient voir son geste, il répondit d'une voix navrée :

— Vous devrez faire sans.

— Nous devons aller les chercher.

— Impossible, dit Varénia en voulant se remettre en marche.

— Il nous les faut, insista Iriel, les deux pieds bien campés sur le roc.

Les yeux de Varénia rétrécirent jusqu'à n'être plus que deux fentes noires dans son visage de porcelaine. Aïnako retint son souffle, certaine qu'elle allait les rattacher au mur.

— Iriel a raison, dit Olian. Vous connaissez notre mission. Si nous n'avons pas d'épée, l'armée de Taïs nous écrasera comme des pucerons.

Les deux gnomes échangèrent un long regard, puis Varénia soupira.

— Je sais où Valrek les a fait ranger. Mais nous devrons faire vite

# 5

## Six pieds sous terre

Leur cellule donnait sur un étroit tunnel de pierre. Ils devaient avancer à trois de large, soit un gnome entre deux elfes, et les parois suintantes leur frôlaient parfois les bras ou les ailes, leur tirant des frissons qu'ils parvenaient mal à contenir. Aïnako grelottait jusque dans ses os sans savoir si c'était à cause du froid ou du diamant noir et elle trébuchait presque autant que ses trois amis. Mais Karask et Varénia ne ralentissaient jamais, n'hésitaient jamais devant un embranchement, ne regardaient jamais en arrière.

Ils traversèrent ainsi une série de galeries entrecoupées de grottes plus ou moins grandes. Les elfes s'éraflaient continuellement les orteils sur le plancher raboteux et Olian se cogna deux fois la tête contre le plafond inégal avant de se décider à marcher courbé en permanence.

— Merde ! jura Kaï en butant contre une saillie.

Varénia, qui tenait Kaï d'un côté et Iriel de l'autre, faillit être entraînée dans sa chute.

— Ce que je donnerais pour un peu de lumière ! continua Kaï en reprenant tant bien que mal son équilibre. N'importe quoi, juste une étincelle !

— La plupart des elfes deviennent un peu claustrophobes dans l'obscurité, dit la princesse gnome d'un air ennuyé en reprenant sa course.

— Vous gardez souvent des prisonniers ici ? demanda Aïnako en réprimant un cri de douleur parce qu'elle venait de marcher sur un caillou aussi coupant qu'une épée.

— Nous ne gardons aucun prisonnier, répliqua Varénia. C'est mon frère qui ordonne, c'est lui qui les garde.

— Vous êtes les premiers à avoir été emprisonnés ici, reprit Karask. Le roi a ordonné qu'on relie les souterrains d'Okmern à ce réseau de cavités naturelles, dont certaines ont tout de même été modifiées afin de ressembler davantage à des cellules.

— Comme si c'était nécessaire de nous enfermer après nous avoir passé ces ann…

— Chut ! souffla soudain Varénia en s'arrêtant.

Mais Aïnako s'était déjà tue. Elle aussi l'avait perçu. Quelqu'un approchait, ou… non, pas quelqu'un, au moins une dizaine, peut-être même une quinzaine d'individus dont la démarche martelée révélait la profession : des soldats. Varénia voulut faire demi-tour. Karask l'arrêta.

— On vient par là aussi.

Les soldats qui arrivaient du côté de Varénia les rejoignirent bientôt et l'écho de leurs pas raides s'éteignit dans un claquement sonore de talons sur le sol. Le rayonnement du roc se reflétait discrètement sur leur crâne chauve et ils portaient tous un pantalon gris, une veste grise et une longue épée d'acier au côté. Varénia releva le menton pour s'approcher du chef du peloton, un énorme gnome à la tête entièrement tapissée d'insectes et de reptiles. Les autres soldats n'avaient qu'un seul tatouage sur la jugulaire gauche, comme Karask.

— Lieutenant Davnar, salua sèchement Varénia.

— Altesse, répondit le lieutenant en inclinant sa grosse tête, que faites-vous ici ? Où menez-vous ces prisonniers ?

— Mon frère a demandé à voir ces quatre-là, mentit Varénia sans ciller.

— Pour quelle raison ?

— Le roi exige, lieutenant, il ne rend pas de comptes.

Cette remarque aurait dû être suffisante, mais l'autre ne s'écarta pas.

— Que se passe-t-il ici? aboya une voix arrivant de l'autre côté.

Une dizaine de gnomes, épée à la ceinture, tête rasée, tatouage sur la jugulaire et mêmes longs vêtements noirs que Karask et Varénia, se tenaient bien droits derrière leur chef, dont le regard glacial allait de Davnar à Varénia.

— Commandant Erkor, saluèrent ceux-ci en inclinant la tête.

Le commandant, qui portait les mêmes habits que ses soldats et encore plus de tatouages sur son crâne lisse que le lieutenant Davnar, ne leur rendit pas leur salut. Imperturbable, il se contenta de croiser les bras en attendant leur réponse.

— Le soldat Karask et moi menons ces prisonniers devant le roi, dit Varénia d'un ton impérial.

— Bien. Et toi, Davnar, que fais-tu ici?

— Je vais m'assurer que nos invités ne manquent de rien, dit le lieutenant dans un sourire complice.

— Je vois. Je ne te retiens pas. Vous non plus, Altesse. Il ne faut pas faire attendre le roi. Mes soldats et moi vous accompagnerons.

Le commandant fit signe à Davnar qu'il pouvait disposer. Karask et Varénia forcèrent les elfes à se coller contre la paroi moite du tunnel pour le laisser passer avec ses soldats.

Une fois que se furent estompées les vibrations de leurs pas, le commandant examina les quatre elfes. Aïnako essayait de regarder dans le vague comme ses amis, mais, quand la main du gnome effleura à peine l'anneau qui lui liait les poignets et que le diamant noir se fissura, elle ne put s'empêcher de lever les yeux vers lui. L'anneau se scinda en deux demi-cercles parfaitement égaux qui se seraient écrasés au sol s'il ne les avait rattrapés et glissés dans la poche de sa veste. Aïnako sentit sa lumière renaître au creux de son ventre et se répandre dans tout son corps. La sensation fut si brutale qu'elle en eut presque mal.

Le commandant libéra les trois autres. Kaï et Olian firent apparaître une bille de lumière dans leurs mains, dissipant aussitôt les ténèbres et, avec elles, le faible rayonnement de la pierre. Leurs visages se détendirent. Même Iriel parut soudain un peu moins austère. Par contre, le commandant ne sembla pas du tout apprécier.

— Éteignez-moi ça tout de suite, ou je vous remets vos anneaux. Si je vous ai libérés, c'est uniquement pour vous permettre de vous défendre en cas d'attaque.

Les billes fondirent dans les mains de Kaï et d'Olian, et Aïnako recommença à voir l'aura grisâtre du tunnel. Ses trois compagnons affichaient à nouveau des mines tendues.

Karask prit la main d'Aïnako et la mit dans celle d'Olian, qui la serra au point de lui faire mal. Mais elle ne dit rien ; elle aussi avait besoin de se faire rassurer et elle ne pouvait imaginer l'angoisse que devaient vivre ses trois amis, aveugles dans l'humidité de la pierre qu'ils sentaient tout autour d'eux. Les doigts d'Olian étaient glacés, mais ils se réchauffaient rapidement à mesure que sa lumière recommençait à circuler dans ses veines.

Karask prit l'autre main d'Aïnako et ils se mirent en route. Le commandant s'arrêta après quelques minutes et passa une main extraordinairement blanche sur la paroi rocheuse. Il secoua la tête et continua d'avancer en laissant traîner ses doigts le long du mur.

— Pourquoi n'as-tu pas suivi le plan? demanda Erkor à Varénia, qui tenait la main de Kaï, qui serrait celle d'Iriel.

— Ils ont besoin de leur épée.

— Il n'en est pas question. Ce serait du suicide. Vous risquez de rencontrer Valrek et il ne sera pas aussi naïf que Davnar.

— Commandant Erkor, dit Iriel, aidez-nous et nous vous aiderons à combattre votre roi.

— Nous vous aidons déjà, soldat Iriel, répliqua Erkor en insistant sur le mot soldat pour faire comprendre à l'ancien commandant d'Élimbrel que sa dégradation n'était pas passée inaperçue, même chez les gnomes.

— Aidez-nous encore, supplia Kaï alors que le passage s'élargissait pour déboucher sur une grotte traversée par un minuscule ruisseau. En unissant nos forces, nous pourrions…

— Ça suffit, la coupa le commandant en haussant le ton pour couvrir le bruit de l'eau. Combien de temps croyez-vous que Davnar mettra à se rendre compte que toutes les cellules sont vides ? Et combien de temps mettra-t-il à apprendre que le roi n'a jamais demandé à vous voir ?

Ils quittèrent la grotte et s'enfoncèrent dans un autre tunnel.

— Tu sais que Valrek te soupçonne déjà, Varénia, poursuivit Erkor en baissant à nouveau la voix. Et je n'ai pas envie qu'il commence à me soupçonner, moi aussi.

— Si vous craignez pour vos vies, nous vous protégerons, dit Olian.

— Ce n'est pas seulement pour nos vies, que je crains, s'enflamma Erkor en s'arrêtant si brusquement que les quatre elfes butèrent contre leurs guides. C'est pour celles de tous les membres de notre groupe, de tous les gnomes, soldats ou non, que Valrek soupçonne de trahison et que je réussis à protéger grâce à mon influence. Et aussi pour celles de tous les elfes, qu'ils soient de Shamguèn ou d'Élimbrel, qui se retrouvent pris malgré eux dans cette guerre. Nous affronterons Valrek, nous l'affronterons ouvertement, mais pas maintenant. Nous avons encore besoin de temps pour nous organiser et essayer d'en apprendre plus sur Taïs, sur l'étendue de sa puissance et sur ses sentiments pour Okmern, son roi et ses habitants.

Il se tut et les fixa à tour de rôle. Il ne sembla pas surpris quand ses yeux se posèrent sur Aïnako et qu'elle lui renvoya son regard. Il esquissa un faible sourire teinté de tristesse et se remit en marche, ses doigts courant toujours le long de la paroi rocheuse.

— Si vous voulez réellement nous aider, reprit-il, rentrez chez vous et laissez-nous nous occuper de notre guerre.

— Mais c'est notre guerre à nous aussi, dit Aïnako. Si Taïs et Valrek se sont unis, personne ici ne pourra vivre en paix tant qu'ils n'auront pas été éliminés tous les deux.

— Elle a raison, Erkor, dit Varénia. Mon frère a confisqué les armes du quart de leur groupe. Et il va probablement ordonner à l'armée, et donc à toi, d'aller aider Taïs à combattre les elfes d'Élimbrel quand ils débarqueront en Shamguèn. Nous ne pourrons plus continuer à nous cacher. Et nous aurons beaucoup plus de chances de l'emporter s'ils ont leurs épées.

— C'est trop risqué. Si nous allons les récupérer, c'est la vie, qu'ils perdront, et nous avec. Je sais que nous n'aurons pas le choix d'abandonner notre couverture au moment de la bataille qui se prépare en Shamguèn, mais en attendant elle nous permettra peut-être d'obtenir des informations utiles, des informations qui pourraient s'avérer beaucoup plus vitales que quelques épées.

Ils atteignirent une large cavité perforée de crevasses. Aïnako se demanda combien d'entre elles étaient des tunnels.

— Ici, ce sera parfait, dit Erkor qui continuait à longer la paroi. La pierre ne forme qu'un seul bloc jusqu'à la surface. Dès que je vous l'ordonnerai, vous vous envolerez vers l'extérieur. Compris, soldat Iriel ?

Une étincelle de colère perça dans le regard glacé d'Iriel, mais il ne dit rien.

Erkor posa ses mains sur le roc. Ses doigts semblèrent se dissoudre dans le rayonnement de la pierre. Curieuse, Aïnako retira sa main de celle de Karask et appuya sa paume contre la paroi. Sa peau verte prit une teinte grise qui lui rappela sa mère endormie et lui causa un léger malaise. Elle ferma les yeux et sentit l'énergie du gnome pénétrer la roche et progresser vers le haut, de plus en plus haut. Elle ne se doutait absolument pas qu'ils fussent aussi creux sous terre.

La pierre se mit alors à vibrer et une brèche s'ouvrit à partir du point le plus éloigné, soit la pointe de roche qui dépassait à la surface de la terre, si loin au-dessus d'eux.

— Mettez votre capuchon ! ordonna Erkor aux autres gnomes.

Mais juste avant que la fissure n'atteigne leur cavité, il ajouta en retirant vivement ses mains :

— Non, attendez ! Le roi arrive avec ses gardes.

Les elfes s'empressèrent de joindre les mains dans leur dos pour faire croire au roi et à ses gardes qu'ils portaient toujours leur anneau de diamant noir. Au même moment, une quarantaine de gnomes armés d'une épée et d'un bouclier tellement sombres qu'ils semblaient faits d'ombre pure émergèrent d'une des crevasses et se ruèrent sur eux.

Surpris, les soldats d'Erkor ne réagirent pas tout de suite.

— Ils nous attaquent ! cria Aïnako pour ses trois amis aveugles.

Leurs alliés tirèrent aussitôt leur longue épée d'acier. Les quatre elfes s'enveloppèrent de lumière et s'avancèrent au-devant des gardes. Sans se consulter, ils déversèrent un torrent bleu, rouge, blanc et argenté sur leurs attaquants, qui se cachèrent derrière leur bouclier. Le torrent se brisa, mais pas comme s'il avait heurté un autre jet ou un écran lumineux, plutôt comme s'il avait fondu, comme si les boucliers des gardes l'avaient avalé.

« Du diamant noir, comprit Aïnako. Nous n'avons aucune chance. »

Les gardes du roi furent rapidement sur eux et les elfes durent reculer derrière Erkor et ses soldats. Le crissement de l'acier contre le diamant devint bientôt assourdissant. Les quatre elfes tentaient de venir en aide à leurs alliés, mais la cavité n'était pas assez haute pour leur permettre de voler et, beaucoup plus nombreux, leurs opposants arrivaient sans trop de mal à bloquer chacune de leurs attaques. Lorsque les premiers gardes réussirent à se frayer un chemin jusqu'à eux, Aïnako sut que tout était perdu. Quelques éclairs jaillirent, mais les gardes les neutralisèrent rapidement et les elfes retrouvèrent leurs menottes.

La lumière de ses amis avait été si vive

qu'Aïnako mit plusieurs secondes à s'habituer à la lueur froide de la grotte. Tout paraissait gris, même les cheveux jaunes de Kaï, qui criait et sursautait chaque fois que deux épées se heurtaient près d'elle. Olian aussi semblait nerveux, mais Iriel avait fermé les yeux et Aïnako aurait pu croire qu'il dormait si les muscles de ses mâchoires n'avaient pas été aussi contractés.

Malgré leur talent et leur ardeur, les dix soldats d'Erkor, aidés de Karask et de Varénia, ne faisaient pas le poids contre les quarante gardes de Valrek, à qui quelques minutes de lutte acharnée suffirent pour les désarmer et les immobiliser. Un gnome à la figure ronde et presque enfantine, dont les tatouages recouvraient le crâne et presque tout le visage avant de descendre sur son cou, ses épaules et ses bras nus, s'approcha des prisonniers.

— Tss, tss, tss ! siffla-t-il entre ses dents immaculées. La propre sœur du roi prise en flagrant délit de lèse-majesté ?

Les yeux de Varénia crachaient du venin.

— Salut sœurette, continua le gnome aux spectaculaires tatouages, un sourire ironique aux lèvres. Tu ne croyais quand même pas que ton plan ridicule allait fonctionner ! Et toi, mon cher commandant Erkor ? Tu croyais pouvoir te jouer de moi aussi facilement ? J'avoue que ta trahison m'a consterné un moment. Tu jouais si bien ton rôle! C'est le problème, avec vous autres, agents doubles, vous pouvez toujours changer de camp à la dernière seconde et opter pour celui qui vous semble le plus fort. Tu as mal choisi, mon ami.

— Mon choix a toujours été clair, cracha Erkor.

Le roi lui tapota la joue. Aïnako remarqua que le nombre vingt-neuf était tatoué à la base de sa nuque, au milieu d'un texte dense écrit dans une écriture tellement fine qu'elle n'arrivait pas à la lire. Elle crut toutefois distinguer les mots monarque et Okmern et en conclut qu'il devait être le vingt-neuvième souverain depuis la fondation du royaume. Elle se demanda depuis quand Okmern existait. Éléssan lui avait dit qu'Élimbrel avait un peu plus de mille ans. Était-ce la même chose pour Okmern? Vingt-neuf rois censés vivre éternellement à moins de se faire assassiner ou de mourir au combat, ça faisait beaucoup.

— C'est ce bon vieux Davnar qui m'a envoyé un message pour me prévenir que toutes les cellules étaient vides et que ma sœur adorée se baladait nonchalamment avec quatre de mes précieux prisonniers. Même qu'il devrait déjà être ici avec des renforts, un peu inutiles, mais bon… J'ai hâte de voir la tête qu'il fera quand il verra à quoi est réduit son faux frère de commandant. Pas toi, Erkor ? Hé ! hé ! Heureusement que j'étais dans les parages. Je me doutais bien que ce mystérieux groupe de rebelles frapperait aujourd'hui.

Ses prunelles noires se mirent à flamber d'un mélange d'exaltation et de cruauté. Il eut un sourire heureux comme s'il s'apprêtait à raconter une blague ou une anecdote plaisante, mais son ton était on ne peut plus sarcastique.

— Hé ! hé ! fit-il. Tu te demandes comment Davnar a pu m'envoyer un message sans qu'un as de la pierre comme toi arrive à le capter, hein Erkor ? Je le vois dans tes yeux. Nous n'avons pas utilisé le système de percussions habituel, mais des insectes. Eh oui, un réseau d'insectes, comme des barbares. Ce n'est pas très rapide, mais c'est bien pratique quand on soupçonne ses proches de trahison. Tu ne t'attendais pas à ça, hein, mon ami ?

Le visage d'Erkor resta de glace. Valrek sourit davantage et se tourna vers les quatre elfes.

— Ah ! ces braves elfes. C'est toujours un plaisir.

Il s'approcha d'Aïnako et lui prit le menton à pleine main pour mieux voir son visage. Elle se débattit et tenta de détourner la tête, mais sa poigne était trop forte et ses ongles s'enfonçaient dans la chair de ses joues. Il approcha sa bouche de son oreille.

— Je sais qui tu es… Tu as ses yeux.

Il resserra sa prise un instant avant de la libérer, comme s'il avait souhaité lui broyer la figure, mais qu'il s'était ravisé juste à temps. Dès qu'elle retrouva l'usage de sa bouche, Aïnako lui cracha au visage. Comme elle s'y attendait, ce geste fut suivi d'une gifle qui envoya sa tête valser contre l'épaule du garde qui la retenait. Légèrement sonnée, sa joue l'élançant au rythme effréné de son cœur, elle dut faire un effort pour relever la tête et replanter ses yeux dans ceux du roi.

Valrek essuya son visage tatoué et sourit.

— Je crois qu'on va bien s'amuser, toi et moi.

Il commençait à s'éloigner quand un jet d'or le terrassa.

# 6

## Le garde

— Éléssan ! cria Aïnako en apercevant la tignasse flamboyante de son ami.

Une cinquantaine de soldats d'Élimbrel se précipitaient vers eux, accompagnés de quelques gnomes vêtus de longs vêtements noirs. Les gardes qui se trouvaient le plus près de Valrek formèrent aussitôt un rempart autour du roi qui se relevait péniblement. Ceux qui surveillaient les quatre elfes menottés eurent l'air de se demander s'ils ne feraient pas mieux d'égorger les captifs avant de s'occuper des nouveaux venus, mais une rivière de lumière multicolore les obligea à lever leur bouclier pour se protéger. Une demi-douzaine de soldats d'Élimbrel avaient réussi à contourner les gardes qui entouraient Valrek et à se rendre jusqu'aux prisonniers.

Erkor profita de la diversion pour flanquer

un coup de coude dans l'estomac du garde qui lui maintenait les bras derrière le dos. Tandis que l'infortuné était plié en deux, le souffle coupé, il lui empoigna la tête afin de mieux lui démolir le nez d'un coup de genou et s'empara de son épée. La lame de diamant noir traça une courbe presque trop rapide pour l'œil et le garde s'écroula sur lui-même. Sans prendre le temps de vérifier si sa victime était bel et bien morte, le commandant gnome s'empressa de venir en aide à ses soldats.

Aïnako ne sut pas s'il réussit à tous les libérer ou si les gardes les avaient déjà achevés. Elle s'était aplatie au sol dès que le gnome qui la retenait avait levé son bouclier pour bloquer l'attaque des soldats d'Élimbrel. Aveuglé, il avait eu le réflexe de reculer et avait éloigné son épée de sa gorge pour se protéger. Quand il avait senti sa prisonnière donner un coup d'épaule sur son bras armé, il était déjà trop tard ; elle lui avait échappé et une grande elfe aux courtes tresses vertes s'était jetée sur lui.

Les mains toujours liées dans le dos, Aïnako roula pour s'éloigner, ouvrit les ailes et bondit sur ses pieds. Elle allait tenter un coup de pied dans les côtes du garde quand celui-ci se raidit avec une sorte de râlement étonné avant de s'effondrer.

Erkor retira son épée du dos du garde, cria à l'elfe aux tresses vertes de le couvrir et empoigna Aïnako par-derrière en appuyant son bras armé sur son sternum comme s'il avait voulu se servir d'elle comme otage ou comme bouclier. Son autre main agrippa ses menottes de diamant noir et elle éprouva une chaleur intense, presque une brûlure à l'intérieur de son ventre quand la source de sa lumière se ralluma. Dès qu'elle fut libérée, Erkor la lâcha et se retourna pour faire face à un nouvel adversaire.

Aïnako faisait de son mieux pour se défendre et venir en aide à ses alliés, mais, privée d'arme et ne pouvant voler suffisamment haut pour échapper aux mains et aux épées des gardes à cause du plafond trop bas, elle peinait de plus en plus et doutait de pouvoir continuer longtemps ainsi. Sa lumière était censée être plus forte à l'état brut, sans épée pour la diriger, mais elle ne la maîtrisait pas encore assez. Même si elle la sentait qui bouillonnait dans son ventre et faisait pression sous ses côtes, elle n'avait pas assez confiance en ses capacités pour oser la libérer. Elle avait trop peur de se laisser emporter et de blesser ses amis en même temps que ses ennemis. Elle ne voulait plus jamais se réveiller subitement pour se rendre compte qu'elle était en train de s'attaquer à quelqu'un qu'elle aimait, comme cela lui était arrivé avec Naïké.

Quand une elfe à la longue chevelure caramel tomba morte à ses pieds, une épée de grenat toujours serrée dans son poing, elle n'hésita qu'une fraction de seconde. Elle se baissa, murmura un faible merci et se releva pour faire face à un garde qui arrivait sur elle. Une vague blanche jaillit de la lame rouge. Le garde leva son bouclier et la vague fut absorbée par le diamant noir. Un éclat de rire s'échappa de la gorge tatouée du gnome et il fondit sur elle. Les deux lames se heurtèrent quelques fois, puis glissèrent l'une contre l'autre, chacun des adversaires pesant sur la sienne pour faire plier l'ennemi.

Le garde voulut frapper Aïnako avec son bouclier. Elle avait déjà collé sa main libre sur son visage blanc et la lumière avait jailli, inondant les pupilles du gnome. Il lâcha ses armes, plaqua ses mains sur ses yeux et s'effondra en gémissant.

Le souffle court, Aïnako regarda autour d'elle, prête à réagir au moindre mouvement. Valrek était maintenant au centre de la mêlée et son épée virevoltait autour de lui. Les gardes qui le protégeaient s'étaient dispersés et il se voyait contraint d'affronter lui-même ses ennemis. Plus près, Varénia avait retrouvé son épée d'acier et se battait contre les gardes de son frère. Elle était déjà occupée avec l'un d'eux quand un autre arriva derrière elle, prêt à lui planter son épée dans le dos.

Aïnako aurait voulu aider sa nouvelle alliée, mais un autre garde lui tomba dessus. Elle se contenta donc d'un cri d'avertissement tout en contrant le coup de son propre attaquant. Varénia pirouetta sur elle-même, l'acier de sa lame siffla, son nouvel assaillant s'effondra et elle se retourna pour faire face à son premier adversaire, mais il était clair qu'elle n'aurait jamais le temps de parer le coup; l'épée du garde allait la décapiter.

Aïnako, qui ne pouvait s'empêcher de suivre la scène du coin de l'œil, sentit son cœur chuter dans sa poitrine. Varénia les avait sauvés et maintenant elle allait mourir. Et elle-même n'y pouvait rien, surtout qu'un autre garde se ruait aussi sur la princesse gnome, sans doute pour seconder son acolyte et se tenir prêt à prendre le relais s'il ratait son coup. Varénia était perdue. Mais, au lieu de s'abattre sur elle, la lame du nouveau venu s'enfonça plutôt dans le dos du premier garde. Sans échanger ni une parole ni un regard, Varénia et son sauveteur réintégrèrent le combat.

Aïnako n'en croyait pas ses yeux. Ce garde venait de tuer un des siens pour sauver la vie d'une des pires ennemies du roi. Elle tourna machinalement la tête pour voir ce qu'il allait faire… et comprit trop tard que, dans une bataille, la moindre inattention peut être fatale.

Le gnome contre qui elle se battait se jeta sur elle et la plaqua au sol, lui broyant l'abdomen sous son bouclier. Elle cessa de sentir sa lumière, son t-shirt kaki étant trop mince pour la protéger du diamant noir. Le garde la désarma à l'aide de son épée en lui lacérant l'intérieur du poignet au passage. La douleur lui emplit le cerveau et le sang se mit à couler sans qu'aucun nuage de lumière ne vienne l'en empêcher. Elle vit la lame noire s'élever dans les airs, prête à s'abattre sur sa gorge. Elle ferma les yeux, ne pouvant croire que sa vie se terminait de façon aussi lamentable.

Mais le poids sur sa poitrine s'envola comme par enchantement et l'épée lui entama à peine la peau. Elle ouvrit les yeux en sentant sa lumière renaître et les veines de son poignet commencer à se ressouder. C'était le garde. Le garde qui venait tout juste de secourir Varénia. Elle ramassa son épée et se releva. À ses pieds, celui qui avait manqué de la tuer fixait le plafond de ses yeux vides, un trou rouge à la place du cœur. Elle se détourna pour échapper à la vue du sang et voulut remercier celui qui venait de la sauver, mais il avait disparu.

Une vibration dans le sol la fit se retourner. Une des rares filles de la garde de Valrek était presque sur elle. Ses yeux bleus étincelaient sous son crâne chauve et son épée avait déjà entamé sa course. Aïnako leva sa propre épée et un grognement s'échappa de sa gorge quand les deux lames se heurtèrent. Au même moment, le bouclier de la gnome lui frôla le bras. Ce léger contact fut à peine suffisant pour refroidir sa lumière, mais elle sentit sa force vaciller.

Un peu plus loin, enveloppé d'un halo d'or, Éléssan évitait agilement épées et boucliers ennemis. Il renversa un garde d'un ouragan de lumière que tout le diamant noir du monde n'aurait pu stopper et se retourna pour en arrêter un autre qui menaçait de lui trouer le dos. Sa lame de topaze dessina une courbe flamboyante qui le faucha net et, à coups d'épée et de lumière, il se fraya un chemin jusqu'à Erkor. Sans cesser de repousser et de frapper ennemi sur ennemi, il cria quelque chose à l'oreille de son homologue gnome, qui acquiesça rapidement et entreprit de s'éloigner vers le tunnel le plus près. Sans lâcher son épée ni le combat des yeux, il pénétra dans l'ombre d'une crevasse et appuya sa main contre la roche.

Éléssan s'éloigna lui aussi du cœur de la bataille pour se poster à l'entrée du tunnel où se trouvait Erkor. Le passage semblait assez large pour permettre à quatre soldats d'y marcher côte à côte, mais le commandant d'Élimbrel était assez habile pour en défendre seul l'accès, même si chaque attaque le faisait inévitablement reculer.

À bout de souffle, les muscles raidis par l'épuisement, Aïnako se battait encore contre la même adversaire. La gnome jetait souvent des regards en direction d'Erkor et semblait vouloir entraîner son opposante de ce côté. Mais, en se rapprochant d'Erkor, elles se rapprochaient également d'Éléssan qui semblait intouchable dans son cocon doré. Aïnako n'en pouvait plus. Sa lumière fluctuait constamment à cause du bouclier de diamant noir qui lui frôlait souvent le bras, elle avait de plus en plus de mal à lever son épée et des larmes de fatigue se mirent à luire au coin de ses yeux, tirant un sourire de mépris à son adversaire. Elle se détesta pour cette marque de faiblesse. Pourquoi ne pouvait-elle pas afficher le même flegme que les autres? Elle était plus jeune qu'eux, mais ce n'était pas une raison de se montrer plus lâche.

Du coin de l'œil, elle aperçut Iriel qui luttait aussi contre un garde. Leurs regards ne se croisèrent qu'une fraction de seconde, mais elle eut la certitude qu'il avait vu ses larmes.

Cela la mit deux fois plus en colère. Elle tenta de redoubler d'ardeur, mais son corps refusa de coopérer. Elle était sur le point de s'écrouler quand elle sentit quelqu'un la tirer par le dos de son t-shirt. Éléssan l'attira près de lui et se débarrassa de la gnome d'un coup d'épée qu'elle ne vit pas. Elle avait fermé les yeux une seconde, juste une seconde, pour permettre à sa lumière de se ranimer. En même temps, elle sentait celle d'Éléssan qui l'enveloppait et lui redonnait de la force. L'effet fut fulgurant. Une seconde plus tard, elle était prête à replonger dans la bataille.

Elle rouvrit les yeux juste à temps pour voir Valrek déjouer la vigilance d'Éléssan, qui avait momentanément relâché sa garde pour la sauver. Le roi se précipitait maintenant sur Erkor, toujours occupé à ouvrir une brèche vers l'extérieur. Il n'avait pas de bouclier et tenait son épée à deux mains, tendue à bout de bras devant lui. Rien ne semblait devoir l'arrêter quand une vague dorée le renversa, l'envoyant rouler à l'autre bout du tunnel.

Aïnako se rua sur lui avant qu'il ait le temps de reprendre ses esprits. Elle le désarma d'un coup de pied et cala la pointe de sa lame écarlate contre sa pomme d'Adam. Il était à sa merci. D'une simple pression du bras, elle pouvait mettre fin à son règne tyrannique et à ses projets sanguinaires. Elle en fut incapable.

— J'ai les yeux de qui ? demanda-t-elle d'un ton presque sauvage en appuyant un peu plus sur son épée qui entama superficiellement la peau blanche où s'entremêlaient serpents et insectes noirs.

Valrek laissa échapper un rire sarcastique.

— Tu sais que c'est toi que je recherchais ? Taïs aurait été ravie de te voir, dit-il avant de lui enfoncer un pied dans l'estomac.

Elle perdit l'équilibre, tomba à la renverse et se frappa la tête contre le mur du tunnel. Merde ! Comment avait-elle pu se laisser avoir de la sorte ? Quelle idiote elle faisait ! Mais elle n'eut pas le temps de s'invectiver bien longtemps. Valrek avait repris son arme et fonçait sur Erkor. Comme si ce n'était pas assez, un des gardes qui tentaient par tous les moyens de percer la barrière que formait toujours Éléssan à l'entrée du tunnel avait réussi à se faufiler de l'autre côté.

Sans retirer sa main de la paroi, Erkor bloqua les assauts de ses deux attaquants. Le garde avait également plaqué une main contre la pierre, sans doute pour refermer la brèche à mesure qu'elle s'ouvrait ; de l'autre, il cherchait à transpercer Erkor de son épée. Aïnako se releva et se précipita vers eux.

— Omkia, aboya Valrek, occupe-toi d'elle !

Le garde détacha sa main de la paroi et fondit sur Aïnako qui s'était déjà mise en garde. Mais, quand elle vit le visage de son assaillant, elle tressaillit et fut incapable de bouger. C'était le garde, celui qui l'avait sauvée, celui qu'elle avait cru des leurs. Il avait levé son épée et s'apprêtait à frapper. Aïnako revint à elle, para le coup et répliqua. Les deux épées se rencontrèrent et ses yeux s'arrondirent d'épouvante en voyant la lame de grenat éclater en mille petits éclats rouge sang.

Elle recula. Le garde sourit. Erkor cria. La lumière du jour engloutit tout.

# 7

# AU SOMMET DE LA MONTAGNE

Le roi lâcha son arme et son visage se tordit comme s'il avait reçu un coup d'épée dans le ventre. Mais l'épée d'Erkor ne l'avait pas touché ; elle s'était elle aussi écrasée par terre et le commandant gnome s'était plié en deux pour rabattre sa cagoule sur sa tête et enfiler ses gants, pressé de se protéger du soleil. Devant Aïnako, le garde que le roi avait appelé Omkia tentait d'abriter son crâne chauve de ses mains nues qui commençaient déjà à rosir sous l'effet des rayons ultraviolets.

Deux autres gardes passèrent en coup de vent de chaque côté d'Aïnako, leur bouclier levé devant leur visage. Ils ralentirent pour relever Valrek et disparurent avec lui dans l'obscurité d'un tunnel transversal. Alors que la peau de ses mains et de sa nuque se boursouflait à vue d'œil, Omkia s'élança à leur suite. Aïnako voulut leur courir après, mais une main se referma sur son poignet.

— Il faut les rattraper ! cria-t-elle à Éléssan qui la ramenait vers la grotte.

— Non. Ils connaissent mieux ces souterrains que nous et ils retrouveront toutes leurs forces dès qu'ils seront à l'abri du soleil.

Dans la grotte qui semblait maintenant trop blanche sous la lumière du soleil, tous les gardes avaient fui et moins d'une dizaine de gnomes étaient encore debout. Couverts de noir de la tête aux pieds, ils se penchaient sur leurs camarades blessés pour les couvrir eux aussi avant de les aider à se relever. Les elfes aussi examinaient leurs frères restés au sol et s'y prenaient à deux pour les soulever et les conduire à l'extérieur.

Aïnako aurait voulu les aider et s'assurer que ses amis allaient bien, mais Éléssan l'entraîna de force dans le tunnel vertical qu'Erkor avait creusé à la jonction de la grotte et du passage qu'ils venaient de quitter. Alors qu'ils volaient vers l'air libre dont ils pouvaient déjà sentir la douceur sur leur peau, ils dépassèrent quelques gnomes qui gravissaient la paroi à pied. Aïnako ne put s'empêcher de sourire, impressionnée : malgré l'urgence et l'agitation, Erkor avait eu la présence d'esprit de sculpter des marches.

— Aïnako ! entendit-elle crier dès qu'elle émergea du tunnel avec Éléssan.

— Kaï !

Les deux amies se jetèrent dans les bras l'une de l'autre.

— J'y retournais pour aider à récupérer les blessés, dit Kaï en pointant l'ouverture du tunnel.

— J'y vais avec toi !

— Pas question, dit Éléssan. Allez plutôt aider les gnomes à se construire un abri dans un arbre.

Aïnako voulut protester, mais le regard inflexible et un peu menaçant d'Éléssan l'en dissuada. Elle s'envola donc avec Kaï pendant qu'il replongeait sous terre. Elles allèrent rejoindre un groupe d'elfes qui étaient en train d'attacher des feuilles et des brindilles pour former des pans de mur et de plafond dans un immense sapin vert. Une gnome de petite taille était avec eux. Une main agrippée à une branche et les pieds bien appuyés sur une autre, elle dirigeait les opérations. À son ton hautain, elles reconnurent Varénia.

Quand l'abri fut presque fini et qu'elles commencèrent à se sentir plus inutiles qu'autre chose, elles se rendirent dans l'arbre voisin où la plupart de leurs compatriotes s'étaient rassemblés. Aïnako chercha Olian des yeux.

Elle vit Éléssan, Iriel et d'autres elfes en train d'examiner les blessés, mais le jeune soldat n'était pas avec eux.

Elle s'approcha. Un début d'inquiétude commençait à s'enraciner dans son estomac. Son cœur s'accéléra, puis s'arrêta quand elle vit ses longues tresses éparpillées sur la branche en travers de laquelle il était étendu. Elles n'étaient plus blondes, mais rouges, comme ses vêtements. Ses ailes étaient déployées sous lui et ses jambes pendaient à demi dans le vide.

Elle s'avança encore et se laissa tomber à genoux en face du guérisseur déjà penché sur le corps de son ami. Olian serrait les paupières, ses doigts semblaient vouloir ramasser l'écorce qu'ils grattaient convulsivement et une veine palpitait sur sa gorge trempée de sueur. Une plaie s'était déjà refermée sur son front et le sang avait coulé dans ses cheveux, mais, le plus effrayant, c'était la profonde entaille qui lui déchirait l'abdomen et que des mains expertes survolaient en diffusant une douce lueur orangée.

— Je peux faire quelque chose? demanda-t-elle d'une voix chevrotante.

— Tu sais produire un nuage de lumière dans tes mains?

Aïnako leva des yeux étonnés vers le guérisseur. Elle était tellement préoccupée par l'état d'Olian qu'elle ne s'était même pas attardée à le regarder.

— Tu es capable, oui ou non? s'impatienta Goneïa.

Aïnako forma une coupe avec ses mains et un nuage de fumée blanche se mit à danser dans ses paumes.

— Place une main sur son front et l'autre sur son cœur. C'est un vrai paquet de nerfs. Il se bat encore contre des ennemis imaginaires et ça l'empêche de guérir. Essaie de le calmer.

Aïnako fit ce qu'on lui demandait en essayant de se calmer elle-même. Elle ferma les yeux et imagina qu'Olian et elle se trouvaient au sommet d'une montagne paisible et ensoleillée et que le monde s'étendait à leurs pieds, vaste et magnifique. Son cœur ralentit et elle sentit que celui d'Olian en faisait autant. Un lien immatériel s'installa entre eux; leurs pensées étaient maintenant indissociables et une immense quiétude les enveloppa. Le temps sembla s'arrêter jusqu'à ce que Goneïa les tire de leur rêve.

— Bien, dit-il d'une voix étonnamment douce, comme s'il sortait lui aussi d'un rêve. Tu peux placer tes mains sur sa blessure, juste pour parfaire la cicatrisation. Je repasserai dans une demi-heure pour lui faire boire quelques gouttes de soporifique. Il sera sur pied demain matin.

Aïnako posa une main contre la fine cicatrice brune qui barrait la peau verte d'Olian et ses yeux remontèrent jusqu'à son visage. Il l'observait en souriant.

— C'était bien, cette montagne où tu m'as amené, dit-il d'une voix éraillée.

Aïnako sourit et une première larme roula sur sa joue :

— Je me suis dit que ça ferait contraste avec les souterrains.

Il leva une main vers le visage de son amie et essuya ses joues maintenant inondées.

Goneïa revint un peu trop tôt à leur goût. Olian protesta quand il voulut lui faire avaler sa potion, mais capitula tout de même assez rapidement. Sa blessure ne pourrait guérir complètement sans un long repos. Aïnako attendit d'être sûre qu'il dormait avant de s'éloigner.

Seuls quelques rayons de soleil parvenaient à éclairer l'abri improvisé des gnomes et créaient une ambiance glauque en filtrant à travers les multiples couches de feuilles. Des hamacs et des cordes avaient été installés pour leur permettre de se reposer ou de se déplacer d'une branche à l'autre. Habitués à leurs souterrains, ils n'avaient pas l'équilibre des elfes et ne partageaient pas leur passion des hauteurs, mais mieux valait endurer le vertige que de retomber aux mains de Valrek et de ses gardes. Aïnako ne put s'empêcher de leur trouver un air inquiétant avec leur capuchon et leur cagoule sans yeux ni bouche.

Elle resta un moment dans l'entrée de leur refuge à les observer. Certains tentaient de réparer leurs habits déchirés en les nouant ou en les collant à l'aide de résine de sapin, d'autres s'occupaient des blessés un peu à la manière des elfes, en plaçant leurs mains sur les blessures pour leur transmettre de l'énergie. Cette énergie n'était pas visible comme la lumière des elfes, mais elle arrivait à traverser l'épais tissu de leurs habits, ce qu'aucun guérisseur d'Élimbrel n'aurait pu espérer accomplir.

— On peut t'aider ? demanda brusquement Varénia.

Légèrement prise de court par la dureté de son ton, Aïnako fut tentée de déguerpir, mais elle se ravisa en se disant que ce n'était quand même pas sa faute si Valrek avait découvert leur rébellion.

— Je voulais seulement m'assurer que tout allait bien, dit-elle d'une voix qu'elle s'efforça de rendre ferme.

— Comme tu vois. Ceux qui sont ici sont ceux qui s'en sont sortis. Tu désirais autre chose ?

Aïnako voulut répliquer, mais changea d'avis ; elle n'avait pas envie de se disputer. Elle s'apprêtait à s'en aller quand la voix de Karask l'arrêta.

— Tu veux entrer ? Tu pourrais nous aider à faire des nœuds dans nos vêtements déchirés. Avec nos gants, ce n'est pas si simple.

Aïnako sourit, replia les ailes et entra dans la douce lueur verte de l'abri. De près, elle vit que leur cagoule n'était pas complètement opaque au niveau des yeux, mais faite d'un tissu crocheté qui ressemblait à de la dentelle.

— Qu'est-ce qui va se passer avec les gnomes décédés ? demanda-t-elle en nouant une bande de tissu autour du bras d'un gnome dont la manche avait été fendue près du coude.

— Nous avons couvert leur visage avant de sortir, répondit la voix d'Erkor derrière elle. Le soleil ne les brûlera pas. Ils pourront être enterrés avec leurs ancêtres.

— Et le garde ? Omkia ou quelque chose comme ça. Il est aussi avec vous ?

— Oui, il est avec nous. Son poste et la confiance que le roi lui porte nous ont permis d'obtenir de précieux renseignements. Quand il a posé sa main près de la mienne, pendant que j'ouvrais un tunnel vers l'air libre, c'était pour m'aider et non pour me nuire, comme Valrek le croyait.

— Pourquoi est-ce qu'il n'a pas fui avec nous ? On aurait trouvé un moyen de le protéger du soleil. Le roi doit bien se douter qu'il y a un espion parmi ses gardes et il l'a vu vous aider à creuser le tunnel.

— Valrek n'a jamais douté un instant de la loyauté d'Omkia. Il ne pourra jamais croire qu'il me soit venu en aide. Il présumera plutôt qu'il voulait me faire obstacle.

— Omkia sait très bien ce qu'il fait et les risques qu'il court, ajouta Varénia. S'il n'a pas fui avec nous, c'est pour nous protéger. Il ne pourra plus nous avertir à l'avance des plans de mon frère, mais il pourra agir de l'intér…

Elle s'interrompit et se raidit en semblant fixer l'entrée de l'abri. Aïnako se retourna et vit Éléssan qui les regardait. Il souriait, mais elle pouvait voir la fatigue dans ses yeux.

— Que pouvons-nous pour vous, commandant ? demanda Erkor d'une voix qui n'était ni agressive ni particulièrement amicale.

— Je tenais seulement à vous remercier, dit Éléssan. Sans vous, beaucoup de mes soldats et amis seraient morts. Si nous pouvons faire quoi que ce soit pour vous, n'hésitez pas à m'en faire part.

Il attendit quelques instants. En voyant que les gnomes gardaient le silence, il baissa la tête. Aïnako fit un mouvement dans sa direction, mais Erkor la retint d'un geste de la main. Il continua à observer son homologue elfe, son masque camouflant ses sentiments.

— Si vous voulez vraiment nous aider, dit-il au bout d'un moment, poursuivez votre mission… et acceptez notre aide.

Éléssan releva la tête. Le soulagement avait remplacé l'épuisement au fond de ses yeux.

— Seulement si vous acceptez la nôtre, dit-il en souriant.

# 8

## Le père d'Aïnako

— C'est pas sérieux? s'alarma Varénia en comprenant soudain ce qu'Éléssan attendait d'elle et des autres gnomes.

— Je vous assure qu'il n'y a aucun danger, dit Éléssan en souriant.

— Parce que ça vous fait rire?

— Pas du tout, nia-t-il sans arriver à masquer la lueur amusée qui brillait dans ses yeux.

— Allons, Varénia, dit Erkor. Si un elfe y arrive, pourquoi pas un gnome?

— Euh... peut-être parce qu'on n'a pas d'ailes!

— Vous serez tous accompagnés d'un elfe expérimenté, dit Éléssan. Vous ne risquez rien.

— J'aurais aimé que le géant soit là...

— Handur? Nous pourrons changer de place quand nous le retrouverons.

— On verra comment vous vous débrouillez.

Refusant la main qu'Éléssan lui tendait, Varénia grimpa sur le dos de l'épervier. Elle lui tira probablement quelques plumes, mais l'oiseau ne fit aucun commentaire. Pendant que les autres gnomes s'installaient sur leur propre monture, aidés par les elfes qui les accompagneraient, Aïnako alla retrouver Iriel près de l'épervier qu'ils partageraient.

— Tu aimes mieux t'asseoir devant, ou derrière ? demanda Iriel.

Sans se formaliser du sarcasme qui pointait dans le ton, elle s'envola pour se poser près du cou de l'oiseau.

— Bien. Tu sais reconnaître tes faiblesses, approuva-t-il du même ton railleur en s'installant derrière elle.

— Eh oui, il paraît que c'est un signe de sagesse, répliqua-t-elle alors que l'épervier prenait son envol.

Iriel la regarda d'un air perplexe. Graduellement, un sourire étira ses lèvres. Aïnako eut même l'impression qu'il s'apprêtait à rire, mais il resta silencieux et continua à la fixer comme s'il cherchait à se rappeler quelque chose. Il avait perdu son masque froid et semblait presque amical. Était-ce leur brève captivité dans les cachots d'Okmern qui était à l'origine de ce changement d'attitude? Pourtant, il n'avait pas paru très impressionné par ses talents d'escrimeuse, surtout quand elle n'avait pas été capable de retenir ses larmes et qu'Éléssan avait été obligé de lui venir en aide.

— Tu te demandes encore pourquoi Éléssan m'a choisie pour faire partie de l'expédition, hein?

Ce n'était pas vraiment une question. Elle le voyait bien malgré l'étrange sourire qui flottait encore sur ses lèvres. Il plissa les yeux pour la sonder.

— Oui, mais plus pour les mêmes raisons. Tu ne manques pas de courage, mais…

— Mais?

— Il te protège trop.

Il ne précisa pas sa pensée, mais elle avait saisi. Éléssan veillait trop sur elle pendant les combats et c'était suspect. Iriel se doutait-il de quelque chose? Probablement pas. Il détestait Silmaëlle et ne lui aurait certainement pas autant parlé, et encore moins souri s'il avait deviné qu'elle était sa fille. Elle brûlait d'envie de lui demander quel était le lien qui l'unissait à sa mère et s'il avait vraiment quelque chose à voir avec le mal dont elle souffrait. Elle avait de plus en plus de difficulté à le croire. C'était Taïs. Taïs et Valrek. Personne d'autre. Iriel lui avait sauvé la vie au moins deux fois ; il ne pouvait pas faire partie des méchants.

Les éperviers tournoyèrent quelques minutes au-dessus du grand hêtre où les complices d'Erkor et de Varénia avaient conduit les elfes qui avaient été emprisonnés dans les autres cellules. Ils pénétrèrent un par un sous les feuilles et se posèrent sur les branches environnantes. Aïnako réprima un sourire en voyant les gnomes dégringoler de leur monture et tomber dans les bras de leurs accompagnateurs. Elle descendit de l'épervier à la suite d'Iriel, qui alla trouver Handur et Éléssan sans lui accorder le moindre regard en guise de salut. « Drôle de personnage », pensa-t-elle. Avait-il honte de lui parler en public ?

Les oiseaux qui transportaient Kaï et Olian passèrent au-dessus d'elle et ses deux amis sautèrent à ses côtés.

— Comment va ta blessure ? demanda-t-elle à Olian.

Il baissa les yeux vers les lambeaux maculés de sang de son t-shirt.

— Quelle blessure ?

Elle prit un air indigné et fit mine de lui donner un coup de pied sur le tibia.

— Mieux, merci... grâce à tes soins, se reprit-il avec un sourire qui la fit rougir.

Elle s'efforçait de trouver quelque chose d'intelligent à dire quand des rires et des exclamations de surprise éclatèrent de l'autre côté de l'arbre. Contente et en même temps un peu déçue de s'en tirer aussi facilement, elle détacha ses yeux de ceux d'Olian pour tenter de voir ce qui se passait, mais la foule était trop dense. Elle entendit Éléssan dire d'un ton faussement sévère :

— Dis donc, soldate, tu sais ce qu'il en coûte, de désobéir aussi impudemment à son commandant ?

Ce ne fut qu'alors qu'elle comprit. Elle s'élança sans se retourner pour voir si ses amis la suivaient, contourna le tronc en évitant de son mieux les elfes et les éperviers qui voletaient entre les branches, bouscula quand même quelques soldats qui maugréèrent en la laissant passer, puis tomba sans ménagement sur Naïké.

Surprise, l'autre dut ouvrir les ailes pour éviter de basculer dans le vide.

— Si tu voulais tester mes réflexes, c'est réussi, s'esclaffa-t-elle.

L'inquiétude avait déjà remplacé la joie sur le visage d'Aïnako.

— Ils t'ont enlevée aussi ? Ils ont osé s'en prendre aux blessés ?

Naïké rit encore plus fort.

— Mais non, personne ne m'a enlevée.

— Tu es revenue par toi-même ?

— Je vous suis comme votre ombre depuis qu'Éléssan a voulu se débarrasser de moi.

Le commandant ne releva pas la moquerie et demanda :

— Comment as-tu réussi à échapper à mes sentinelles ?

— Tu sais bien qu'elles n'avaient aucune chance d'apercevoir ne fût-ce qu'un seul de mes cheveux.

Il eut un sourire amusé qu'il s'empressa de convertir en un regard sérieux, ce qui fit rire Naïké.

— Tu as vraiment cru que je rentrerais sagement à Lilibé ? Je croyais que tu me connaissais mieux que ça. Dès que j'ai vu les filets jaillir du sol et tous les soldats qui paniquaient, j'ai tout de suite accouru. J'ai d'abord voulu te rejoindre, toi et les autres soldats qui avaient réussi à éviter le piège, mais, quand j'ai vu Aïnako disparaître sous terre, j'ai changé d'avis et j'ai plongé. Mais je me suis trompée de tunnel et je suis tombée sur…

— Elle a été brillante, la coupa Handur en abattant sa main sur son épaule. C'est elle qui nous a sauvés.

Naïké fléchit légèrement les genoux et sourit en ramenant son regard sur Éléssan.

— Je te l'avais dit, que je pouvais encore être utile !

— Utile ? tonna Handur. Héroïque, oui. Tu aurais dû la voir, Éléssan. Elle s'est battue comme une vraie pie-grièche contre ces pauvres diables qui avaient eu le malheur de nous prendre dans leurs filets. Ils n'ont même pas eu le temps de dire ouf qu'ils étaient tous hors de combat.

— Tu n'as pas exactement chômé non plus, dit Naïké.

Handur ne sembla pas l'entendre.

— Quand Loukim et Jorik que voici sont arrivés, poursuivit-il en désignant deux des gnomes qui les entouraient, il ne restait plus rien à faire. Elle a même failli les attaquer, eux aussi.

— Nous attendions que les soldats les amènent dans leur cellule pour les libérer, dit Loukim d'un ton amusé sous sa cagoule noire. Mais, quand nous avons entendu tout ce vacarme qui venait de l'entrée du tunnel, nous avons décidé d'aller voir ce qui se passait.

— Moi, je voulais qu'on aille délivrer les autres, reprit Naïké, mais ils nous ont convaincus qu'il valait mieux se rendre directement au point de rencontre en nous assurant que leurs camarades étaient en train de libérer nos amis et qu'ils nous retrouveraient là-bas.

— Et laisse-moi te dire qu'elle n'a pas été facile à convaincre, dit Handur. Quand nous sommes arrivés au point de rencontre et que Roljem nous a dit que tu étais déjà parti délivrer les autres avec quelques-uns de ses complices et une cinquantaine des nôtres qui avaient réussi à échapper aux filets du roi, il a presque fallu l'attacher à l'arbre.

— Et toi ? dit Naïké. Ce n'est pas comme si tu t'étais sagement assis sur ta branche pour méditer en attendant d'avoir des nouvelles.

— D'accord, d'accord ! C'est vrai que je voulais aller vous rejoindre, moi aussi, mais, quand les complices de Loukim et de Jorik sont arrivés avec les autres prisonniers fraîchement libérés, nous avons décidé d'attendre qu'ils leur enlèvent leurs menottes avant d'aller vous aider.

— Ça a été tellement long ! fit Naïké en roulant des yeux exaspérés à ce seul souvenir.

— Aucun d'entre nous ne manie la pierre et en particulier le diamant noir aussi bien que le commandant, dit d'un ton navré une gnome dans laquelle Aïnako crut reconnaître Roljem sans en être absolument certaine. Et, quand nous avons finalement réussi à briser tous les anneaux et que nous nous préparions à aller vous rejoindre, votre messager est arrivé.

— Tu as dû être déçue, dit Éléssan en regardant Naïké.

— Et comment ! J'aurais bien aimé te sauver la vie in extremis pour te prouver à quel point tu avais eu tort de me renvoyer. Mais, à présent, j'espère que tu as bien mesuré l'ampleur de ton erreur.

Le regard dubitatif d'Éléssan passa de Naïké à Handur et aux silhouettes encapuchonnées des gnomes. Il reporta son attention sur Naïké et soupira en levant les yeux au ciel.

— D'accord, tu peux rester. Mais tu dois promettre de m'obéir.

Naïké fit un geste comme pour lui sauter au cou, mais se ravisa et se contenta d'acquiescer.

— Au doigt et à l'œil, commandant.

— Et de ne plus jamais remettre un seul de mes ordres en question.

— Je le jure sur la tête d'Aïnako.

— Eh ! protesta celle-ci. Qu'est-ce que ma tête a à voir là-dedans ?

— T'inquiète pas, dit Naïké. Je te jure que je tiendrai parole. Sur la tête d'Éléssan.

Les deux amies pouffèrent et s'empressèrent d'ouvrir les ailes pour s'éloigner. Éléssan les rappela aussitôt et fixa Naïké avec un air malicieux.

— Toi qui tiens tant à te rendre utile, je crois

que tu sauras apprécier la mission que j'ai à te confier.

— Je croyais que les réserves de diamant noir d'Okmern étaient presque à sec, fit remarquer un des elfes perchés au-dessus d'Aïnako, de Kaï et d'Olian.

— Et on sait pourquoi, maintenant, répliqua un autre elfe. Des armes complètes en diamant noir, ça doit t'épuiser une réserve le temps de le dire.

— Seuls les soldats de la garde personnelle de Valrek possèdent des armes de diamant noir, répondit Erkor, debout près d'Éléssan, devant la foule d'elfes et de gnomes. C'est Valrek lui-même qui a ordonné aux armuriers d'Okmern de ne plus vous en fournir.

Elfes et gnomes s'étaient massés autour des deux commandants dans les branches du grand hêtre. Éléssan avait commencé par annoncer à ses soldats que les gnomes les accompagneraient jusqu'en Shamguèn. Deux ou trois protestations avaient fusé, qu'il avait rapidement réfutées, et certains avaient demandé si les renforts d'Élimbrel les rejoindraient avant le grand assaut, ce à quoi les deux commandants avaient répondu qu'il était préférable d'attaquer sans attendre pour que Valrek n'ait pas le temps de démasquer et de mettre à mort les autres membres du groupe de rebelles, dont beaucoup faisaient également partie de l'armée d'Okmern et seraient d'un grand secours pendant la bataille.

Assise entre Kaï et Olian, Aïnako n'écoutait que d'une oreille. Elle avait hâte qu'ils en viennent à la suite du programme. À côté d'elle, Kaï semblait tout aussi attentive. Elle ne cessait de lancer et de rattraper une petite bille grise qu'elle avait trouvée la veille dans le sapin où les gnomes avaient construit leur abri, coincée entre le tronc et une branche.

— Tu m'énerves avec ça, dit Aïnako en s'emparant de la bille alors qu'elle entamait sa millième remontée.

— Je peux voir ? demanda Olian en tendant une main dans laquelle elle déposa la petite pierre parfaitement ronde. De l'agate grise, murmura-t-il. Comme tes yeux…

Aïnako sourit en lui reprenant la bille.

— Écoute le commandant, au lieu de dire des idioties.

Olian allait répliquer quand Éléssan annonça enfin qu'il allait leur parler du reste de l'expédition. Tous les yeux se braquèrent sur lui.

— Nous ne passerons pas par l'entrée

principale de la cité-royaume de Shamguèn, commença-t-il. Nos nouveaux alliés m'ont appris l'existence d'un passage souterrain débouchant directement sur la grotte qui abrite le palais royal. Taïs connaît bien ce passage et n'a pas voulu le sceller pour pouvoir s'enfuir en cas d'attaque. L'extrémité extérieure n'est habituellement gardée que par quelques sentinelles. C'est par là que nous passerons. Nous aurons beaucoup plus de chances de vaincre Taïs et Valrek en les affrontant dans la grotte de la place royale plutôt que dans la cité elle-même, où nous serions entourés de civils que nous aurions peur de blesser et qui risquent de s'en prendre à nous s'ils voient que leurs soldats ne dominent pas comme prévu.

— Mais le roi gnome va bien se douter que nous passerons par là, fit remarquer un elfe. Il doit bien savoir que son ancien commandant et sa sœur se sont joints à nous.

— En fait, Valrek et Taïs doivent compter sur le fait que nous emprunterons ce passage. Taïs n'a aucun intérêt à disperser ses troupes d'un bout à l'autre de Shamguèn. Elle voudra se concentrer sur la défense de son palais et éviter que les combats ne détruisent sa cité. Quant à Valrek, il n'accepterait jamais de se battre à l'extérieur. Son armée serait beaucoup trop désavantagée à cause du soleil. Il préférera plutôt nous attendre à la sortie du tunnel, bien à l'abri dans la grotte de la place royale.

— Et nous cueillir comme des vers de terre qui ne voient pas le corbeau qui les guette au bout de leur trou, lança un autre elfe.

Éléssan eut un sourire en coin.

— C'est effectivement ce que Taïs et lui espéreront. Sauf que nous serons préparés. Valrek n'a aucune idée de l'étendue de la rébellion qui sévit dans ses rangs. Selon Erkor, près de la moitié des soldats d'Okmern, c'est-à-dire les soldats qu'il commandait jusqu'à hier, se rangeront de notre côté en nous voyant débarquer dans la grotte. Une telle occasion ne se représentera peut-être plus. Je vous rappelle que Taïs possède la faculté de nous dépouiller de notre lumière. Les gnomes nous seront donc d'une aide inestimable pour la vaincre. Ce sera moi qui irai en tête avec les meilleurs tireurs d'Élimbrel, car il nous faudra un maximum de force pour repousser la première attaque. La bataille qui suivra sera beaucoup plus difficile, mais Erkor et moi croyons que nous avons de bonnes chances de l'emporter.

— Une bonne partie des soldats d'Okmern font partie de notre organisation et s'opposent en secret à Valrek, confirma Erkor. Tous les soldats portent un maillot noir sous leur uniforme gris et, juste avant d'entrer dans la bataille, les membres de notre groupe se débarrasseront de leur veste pour que nous puissions les identifier. Les gardes de Valrek sont également vêtus de noir, mais leur uniforme est assez différent du nôtre et vous n'aurez aucun mal à les reconnaître. Nous n'avons qu'un seul allié dans leurs rangs. Il n'aura aucun moyen de se différencier des autres gardes et ceux qui ne le connaissent pas n'auront aucun moyen de l'identifier, mais ne vous en faites pas pour lui, il saura se tirer d'affaire.

Erkor fit une pause, prit une longue inspiration et enchaîna d'une voix lente, comme s'il pesait chacun de ses mots :

— Ce qui m'inquiète davantage, ce sont les nouveaux alliés de Taïs. Elle a récemment entrepris de courtiser quelques groupes de feux follets et il semblerait que certains se soient laissé séduire, pas beaucoup, une vingtaine d'individus tout au plus…

Une cacophonie de « quoi » et de « comment » s'éleva de la foule de soldats. À côté d'Aïnako, Kaï avait blêmi et fixait le commandant gnome avec un air de pure panique.

— C'est une blague ! murmura-t-elle d'une voix asphyxiée.

Aïnako jeta un coup d'œil à Olian. Lui aussi était pâle et son visage reflétait un mélange de peur et de détermination. La lueur rouge au fond de ses yeux s'était amplifiée. Ce n'était plus une flamme, mais un véritable incendie qui brûlait derrière ses iris marron. Aïnako reposa son regard sur le visage encagoulé d'Erkor. Une peur sourde s'insinuait en elle. Qu'est-ce qui terrifiait tant ses amis ?

Erkor attendit quelques secondes avant de réclamer l'attention d'une voix forte.

— Vous savez probablement que les feux follets puisent leur force dans la chaleur du feu. Le meilleur moyen de les vaincre, c'est donc de refroidir la température de leur corps. C'est pourquoi nous remplirons tous nos gourdes au ruisseau le plus près. L'eau agit sur eux comme sur la braise. Leur peau passe alors du rouge incandescent au noir et ils deviennent aussi vulnérables que des gnomes au soleil ou des elfes privés de lumière. L'emplacement de la place royale jouera également en notre faveur. Comme ils ne pourront pas bénéficier de la chaleur du soleil, leur corps ne devrait pas mettre plus d'une vingtaine de minutes à refroidir, même sans eau. Mais, en attendant, votre meilleure défense sera de les arroser et, évidemment, d'éviter tout contact avec leur peau si vous ne voulez pas finir calcinés.

Erkor se lança alors dans une description détaillée de la place royale et du passage qu'ils devraient emprunter pour y accéder. Aïnako essaya d'écouter, mais perdit rapidement le fil. Ce n'était pas les feux follets qui l'inquiétaient le plus, mais le fait qu'elle verrait bientôt Taïs, qu'elle devrait l'affronter, même si elle ne savait toujours pas comment, même si elle ne s'en sentait toujours pas capable, même si elle était terrifiée, même si elle risquait de mourir…

Elle se demanda ce qu'on ressentait quand on mourait. Elle revit le visage du soldat qu'elle avait tué et eut l'impression de sentir la lame passer à travers son propre corps, transpercer son propre cœur. La douleur était intenable. Mais pas autant que le néant qu'elle sentait se répandre en elle. Pas autant que son désir de vivre encore.

— Ça va ? chuchota Olian en glissant un bras sous le sien.

Aïnako se rendit compte qu'elle tremblait et que ses doigts ne pouvaient arrêter de manipuler la perle d'agate grise. Elle s'obligea à ramener ses mains sur ses cuisses, enferma la bille au creux de son poing et acquiesça en essayant de sourire. Ce n'était pas le moment de s'affoler, pas à quelques heures de la bataille finale. Car elle serait finale, Aïnako en était certaine ; elle devrait mourir ou tuer Taïs, même si les deux options la terrifiaient. Elle prit une grande inspiration qu'elle relâcha lentement. Mais son cœur ne ralentit pas, sa nausée ne disparut pas et ses oreilles se mirent à bourdonner. Elle ferma les yeux et eut l'impression de s'enfoncer dans une mer noire et épaisse.

Quand elle refit surface, plus rien n'était pareil. Le vert avait disparu, l'odeur des feuilles mortes était partout et des branches grises se superposaient au bleu du ciel. Elle était couchée sur la terre humide, mais n'avait pas froid; le soleil la réchauffait. Elle s'étira et s'assit en s'appuyant sur ses coudes. Une elfe était couchée près d'elle, sous les feuilles dorées, et ses longs cheveux bordeaux, légèrement bouclés, se mêlaient aux couleurs de l'automne. Aïnako tressaillit. C'était la reine. Elle était avec sa mère. Ce ne pouvait donc être qu'un souvenir de son père.

Les yeux de son père s'attardèrent sur la figure endormie. Ce n'était pas le visage terne et sans vie qu'elle avait vu avec Zoïrim, mais les traits vert pomme et rayonnants d'une elfe en pleine santé qui a encore toute sa lumière.

Une brise se mit à souffler et souleva une odeur de fleurs qui la troubla. C'était une odeur qu'elle connaissait, qu'elle avait l'impression d'avoir sentie toute sa vie, mais qu'elle n'arrivait pas à replacer.

Elle ferma les yeux en même temps que son père. Elle sentait une grande confusion dans son esprit. Des sentiments incohérents s'y bousculaient sans pour autant combler le vide qu'elle percevait au-delà de la tempête. Elle aurait voulu prendre le temps de les analyser, de les comprendre, mais un bruit de feuilles froissées, le bruit délicat d'un elfe qui se pose, se fit entendre derrière elle. Comme sous le coup d'une brusque terreur, la tête de son père se vida. Il se retourna d'un coup et elle fut forcée de suivre son regard.

Les ailes encore à moitié ouvertes, une elfe armée, mais habillée en civil, l'observait d'un air à la fois incrédule et dégoûté. Aïnako n'eut aucun mal à la reconnaître, même si elle ne l'avait vue qu'une fraction de seconde. C'était l'elfe de sa toute première vision, celle qu'elle avait eue dans la rivière. L'elfe aux cheveux roses qui riait au soleil.

Se voyant découverte, la fille porta la main à son épée, mais ne la sortit pas du fourreau. Aïnako sentit la panique s'emparer de son père. Il se releva. Il portait un pantalon noir, mais rien pour couvrir le haut de son corps. Il ramassa sa chemise en vitesse. Aïnako remarqua qu'une longue robe verte gisait également à ses pieds. La robe de Silmaëlle. La fille aux cheveux roses la vit aussi et, avec une exclamation écœurée, s'envola sans un mot ni un regard en arrière.

Le désordre qui régnait dans l'esprit de son père se fit si violent qu'Aïnako eut envie de crier. Il laissa tomber sa chemise et s'élança à la poursuite de la fille. Plus rapide, il la rattrapa en quelques coups d'ailes et l'obligea à se poser au sommet d'un grand sapin vert sombre.

— Lâche-moi, dit la fille.

Elle se dégagea, mais ne rouvrit pas les ailes. Une main sur la garde de son épée, elle le fixait comme si elle le mettait au défi d'avancer. Aïnako sentait que son père cherchait ses mots, désespéré.

— Païlia, chuchota-t-il en faisant un pas vers elle.

Mais la fille recula et dégaina une épée aigue-marine pour l'empêcher d'approcher.

— J'étais venue te chercher, dit-elle. J'ai pensé que tu avais peut-être changé d'idée. Mais tu as tout gâché. Tu as tout gâché et maintenant tu n'es plus rien pour moi.

Elle avait parlé sur un ton calme, presque sans émotion. Aïnako sentit des larmes se former dans les yeux de son père et dans ses propres yeux.

— Païlia, murmura-t-il encore en avançant malgré l'arme pointée sur lui.

Aïnako essaya de reconnaître sa voix, mais il

parlait trop bas pour qu'elle puisse en saisir le timbre.

— Reste où tu es, dit la fille.

Mais il continua d'avancer. Ils luttèrent quelques secondes et Aïnako sentit quelque chose de froid lui traverser la poitrine. Pendant un instant, il n'y eut que la douleur; la douleur et le noir. Elle entendit un cri et des bras l'enlacèrent. Enfin, la lumière revint. Le visage de la fille était juste au-dessus du sien. Ses cheveux roses lui effleuraient les tempes et les joues. La colère avait fait place à l'épouvante dans ses yeux couleur de miel. Aïnako partageait les sensations de son père qui luttait contre l'inconscience, contre l'obscurité qui commençait à engluer ses pensées.

— Païlia, répéta-t-il tout doucement, presque en silence.

La fille l'étendit sur la branche et retira son épée qui dégringola jusqu'au pied de l'arbre. Aïnako sentit une rivière de liquide chaud couler sur sa peau et une myriade de petites perles rouler sur ses épaules. Elle sut sans les voir que c'était des billes d'agate grise, que son père portait en collier.

— Ça va aller, tu vas guérir, souffla la fille à travers ses larmes, en posant ses paumes tremblantes sur sa blessure.

# 9

## Shamguèn

Aïnako sentit qu'on la secouait. Elle ouvrit les yeux. Kaï et Olian la tenaient chacun par un bras et la fixaient d'un air soucieux.

— Pourquoi t'as crié ? demanda Kaï.

— Je… j'ai crié ?

— Oui, répondit Olian. Je crois que tu faisais un cauchemar. Mais t'en fais pas, personne n'a remarqué, avec tout ce bruit.

Aïnako regarda autour d'elle. Presque tous les elfes étaient debout sur les branches et chantaient un hymne de guerre qu'elle ne connaissait pas.

— Je crois que nos nouveaux amis n'apprécient pas beaucoup, dit Kaï en observant les gnomes.

Aucun d'eux ne chantait et ils semblaient plutôt agités. Près d'eux, Éléssan et Iriel ne chantaient pas non plus et essayaient de les calmer. Olian dit à Aïnako qui n'écoutait pas :

— Même si la chanson ne mentionne jamais le mot gnomes, tout le monde sait que ce sont eux, les ennemis porteurs de haine et de mort et la menace ancestrale qui fait trembler la terre.

Elle, elle fixait Iriel. C'était lui, elle était certaine que c'était lui, même si elle n'avait jamais vu son visage, couché sous les feuilles avec sa mère.

— Hou ! hou ! fit Kaï en agitant une main devant ses yeux. T'es toujours avec nous ?

— Oui, oui, répondit distraitement Aïnako en empochant la perle d'agate grise qu'elle serrait toujours dans sa main sans pouvoir détacher ses yeux du visage d'Iriel.

C'était donc lui son père.

— Impossible, dit Aïnako.

— C'est pourtant la vérité, répliqua Iriel en regardant les arbres défiler à toute vitesse sous l'épervier qui les portait.

— Tu me dis que, avec son immense pouvoir et toutes les lumières qu'elle a volées, Taïs est incapable d'influencer la croissance des arbres suffisamment pour se construire une cité ou au moins un palais ?

— Ce n'est pas ce que j'ai dit. Elle vit sous terre par choix. Et maintenant nous savons pourquoi.

— Ouais... pour se rapprocher de ses alliés.

— Plutôt pour bénéficier de la protection du roi d'Okmern. Ou du moins de l'ancien roi, Melkor, le père de Valrek, celui avec qui elle avait conclu une alliance que Valrek continue d'honorer pour une raison que j'ignore.

— Peut-être qu'il a peur que le peuple de Shamguèn se retourne contre lui.

— Erkor et Varénia croient plutôt qu'il veut se servir de Taïs pour détruire Élimbrel sans trop se salir les mains.

— Ouais, ça ne m'étonne pas vraiment... Et tout son peuple vit avec elle ?

— Non. Les quartiers des civils sont construits à même la terre, mais à l'air libre. Seuls le palais et la place royale se trouvent sous terre. Tu imagines des centaines d'elfes aussi turbulents que toi et ton amie Kaï, claustrés dans d'étroits réduits sombres à longueur de jour, toute l'année, depuis deux cents ans ? On n'aurait pas besoin de s'infiltrer chez eux pour les éliminer ; ils s'en seraient eux-mêmes chargés depuis longtemps.

Une lueur moqueuse brillait dans les yeux

d'Iriel. Ils n'étaient pas noirs, comme elle l'avait toujours cru, mais violets et lumineux sous le soleil qui resplendissait au milieu de l'océan bleu qui les dominait. Maintenant qu'ils étaient seuls sur leur oiseau, il était de nouveau étrangement loquace, lui qui l'avait toujours traitée en gamine encombrante. Peut-être était-ce justement à cause de sa jeunesse qu'il se permettait d'être plus détendu avec elle ? Il n'avait jamais été son commandant et n'avait rien à lui prouver. Ou peut-être était-ce son attitude à elle qui avait changé ? Elle n'était plus méfiante envers lui. Elle lui souriait et lui parlait comme à un ami, contrairement aux autres soldats, qui n'osaient jamais le regarder dans les yeux et devenaient nerveux dès qu'ils l'apercevaient. Elle se sentait étrangement près de lui depuis sa vision, depuis qu'elle savait qui il était, depuis qu'elle avait vu le monde à travers ses yeux. Mais lui, savait-il qui elle était ? Sa mère le lui avait-elle dit avant de le quitter ? Et qui était la fille aux cheveux roses qui avait failli le tuer ?

— Tu es songeuse, dit Iriel.

Aïnako se rendit compte qu'elle fixait le ciel d'un air préoccupé.

— Je me demandais… pourquoi tu me parles à moi et pas aux autres ?

— Je parle aux autres soldats.

— Tu leur donnes des directives sur le champ de bataille. Ça n'entre pas vraiment dans la catégorie conversation.

— Je parle à Éléssan.

— Éléssan ne compte pas, c'est le commandant et tu le connais depuis toujours, à ce que j'ai cru comprendre.

Iriel hocha la tête et sembla réfléchir, les yeux perdus dans le vide. Au bout d'un moment, il murmura, comme pour lui-même :

— Je ne sais pas, je crois que tu me rappelles… quelque chose, une ancienne époque de ma vie.

Ses yeux continuèrent à fixer un point invisible et il se tut. Il regarda ensuite Aïnako et son visage se ferma, comme s'il venait de réaliser qu'il avait parlé tout haut. Elle se demanda si elle devait lui dire qu'elle savait qu'elle était sa fille. Et Éléssan, était-il au courant ? Si oui, pourquoi ne lui en avait-il jamais parlé ?

— On arrive, dit Iriel, la tirant une fois de plus de ses pensées.

Alors que toute la troupe se cachait dans les arbres entourant le repaire de Taïs, l'oiseau qui portait Naïké contourna les amoncellements rocheux derrière lesquels il disparut une seconde avant de remonter, libéré de sa cavalière.

Une mince fente noire scindait le plus gros des rochers en deux. Aïnako plissa les yeux pour tenter de voir les sentinelles. Elle eut d'abord du mal à les distinguer des arbustes chétifs qui poussaient entre les pierres, mais, quand elle les aperçut, elle ne les lâcha plus des yeux. Elle n'en compta que quatre, du moins du côté du rocher où elle se trouvait. Vêtues de vert et de gris, les cheveux rasés pour l'une et remontés sous un turban assorti à leur habit pour les trois autres, elles se fondaient parfaitement dans le décor.

Au début, rien ne se passa. Les minutes s'allongèrent. Rien ne bougeait à l'exception des feuilles dans les arbres. Aïnako eut même peur que les sentinelles qui se trouvaient de l'autre côté du rocher aient découvert Naïké, qu'elles l'aient attaquée, mise hors de combat, blessée, tuée. Mais elle n'avait pas à s'en faire pour la Mygale. Elle aperçut bientôt ses couettes turquoise entre les branches et eut à peine le temps de la voir se faufiler vers la première sentinelle que celle-ci tombait, inerte, dans ses bras.

Naïké la coucha sur la pierre et s'avança vers la deuxième. Cette fois, Aïnako la vit saisir la sentinelle par-derrière et approcher sa main de sa nuque. Une seconde plus tard, elle s'écroulait à son tour et la guerrière s'éloigna pour recommencer le même manège avec les deux autres.

Le cœur d'Aïnako s'arrêta. Elle leur avait brisé le cou. Sans avertissement, sans leur offrir de se rendre. Elle les avait tuées aussi froidement qu'elle se serait mouchée.

Immobiles au milieu des feuilles, les soldats attendaient le signal pour s'envoler. En bas, Naïké semblait toujours sur le qui-vive et glissait toujours aussi silencieusement le long du rocher. Ce ne fut que lorsqu'elle enroula son bras autour du cou d'une cinquième sentinelle qu'Aïnako se rendit compte que ce qu'elle avait pris pour une motte de terre sèche était bel et bien un soldat. Son amie posa son autre main sur la nuque de sa victime et il y eut un bref éclair fuchsia juste avant qu'elle ne l'étende gentiment par terre.

— Ça, c'est du travail de qualité, souffla Kaï. Vite fait, bien fait, et sans attirer l'attention.

Aïnako tourna un visage scandalisé vers elle.

— T'inquiète pas, murmura Olian. Elle ne les a pas tués. Elle leur a seulement envoyé une petite décharge de lumière dans les nerfs cervicaux. Ils vont se réveiller dans quelques heures, le temps de se débarrasser de tous ces photons étrangers.

Soulagée que celle qu'elle considérait comme sa sœur et sa meilleure amie ne fût pas une meurtrière sans scrupules, Aïnako se détendit et sourit en remarquant que les cheveux d'Olian, qu'il avait attachés en nouant deux tresses ensemble, avaient gardé une teinte cuivrée depuis qu'il avait été blessé à la tête. Amplifiée par l'éclat du soleil, la couleur rappelait celle de ses yeux, en plus pâle. Si elle n'avait pas vu ses tresses imbibées de sang avant qu'il ne les lave dans un ruisseau, elle aurait pu croire qu'elles avaient toujours été rousses et non blondes.

Le sourire d'Olian s'agrandit, comme s'il était sur le point de rire, et elle s'aperçut qu'elle était en train de le dévisager. Le sang lui monta à la tête et elle se détourna. Au même moment, Naïké leur faisait signe que la voie était libre. Erkor s'envola aussitôt, pris entre deux elfes qui lui tenaient chacun un bras. Dès qu'il fut au sol, il se précipita vers la crevasse, appuya ses mains sur la pierre et ne bougea plus.

— Qu'est-ce qu'il fait ? chuchota Aïnako.

— Il parle à la pierre, répondit Kaï comme si c'était évident.

— Il veut élargir le tunnel ?

— Non, il analyse seulement ses souvenirs. Il veut sûrement savoir ce que la pierre a vécu, qui a marché dessus et il y a combien de temps ; ce genre de choses. Eh ! Peut-être que tu serais capable, toi aussi ; ce serait pratique !

Aïnako plaqua une main sur la bouche de son amie. Elle ne tenait pas à ce que tout le monde sache qu'elle avait peut-être, même de très loin, du sang gnome dans les veines et que les soldats commencent à lui poser des questions auxquelles elle ne saurait quoi répondre. Elle voulait d'abord parler à Iriel, et à Silmaëlle si elle se réveillait, pour savoir d'où lui venait cette faculté de voir dans le noir.

Erkor retira ses mains et fit signe à la troupe de les rejoindre. Aïnako compta onze sentinelles étendues d'un côté et de l'autre du gros rocher, les doigts et le visage parfois agités de petits tics rapides.

— Elles n'étaient pas très bien cachées, dit Naïké en venant la retrouver. Si tu veux mon avis, il s'agissait probablement plus de leurres que de véritables sentinelles. Taïs ne s'est jamais beaucoup soucié de la vie de ses soldats. C'est une chance que la politique d'Éléssan soit de faire le moins de morts possibles.

Les deux commandants s'engouffrèrent les premiers dans le tunnel. Le reste de la troupe suivit et Aïnako frissonna en sentant l'humidité froide de la pierre emplir ses poumons. La fissure était juste assez large pour lui permettre de marcher de face et Handur dut enrouler ses ailes autour de ses épaules pour s'introduire de côté.

La lumière du soleil fut rapidement remplacée par celle, plus vaporeuse, du roc. Aïnako remarqua à peine la transition, mais elle sentit la nervosité de ses amis augmenter à mesure que l'obscurité s'épaississait. Plusieurs soupirs de soulagement se firent entendre quand Éléssan s'enveloppa d'un frêle halo doré. Ses soldats l'imitèrent et Aïnako eut l'étrange impression de se retrouver au milieu d'une procession de spectres multicolores.

Tandis qu'ils cheminaient à la file indienne, elle laissa ses doigts glisser le long de la paroi rocheuse en essayant de capter des bribes de son histoire. Elle ne sentit que les battements de leurs pas sur la pierre. Son esprit se perdit dans ces rythmes inconstants et elle ne décela pas tout de suite le frémissement diffus, comme l'ombre d'une émotion lointaine, d'une peine ou d'une peur qui s'en dégageait lentement. Elle crut d'abord qu'il s'agissait de sa propre angoisse, mais le sentiment qu'elle percevait était trop distant pour lui appartenir. Elle tenta de se concentrer sur cette sensation de douleur impalpable qui lui parvenait à travers la pierre, mais qui s'éloignait chaque fois qu'elle croyait s'en approcher, se demandant s'il s'agissait du souvenir de quelqu'un qui était passé par là il y avait longtemps, ou de la rumeur confuse des habitants de Shamguèn, terrifiés par le combat qui se préparait.

Ils marchèrent ainsi pendant près d'une heure avant d'atteindre une grotte remplie de stalactites suintantes et parsemée de petites piscines brouillées. Les deux commandants, qui paraissaient être devenus de grands amis et qui ne prenaient plus aucune décision sans se concerter, invitèrent leurs soldats à se reposer et à avaler le peu de fruits secs qu'ils avaient apportés, en les avertissant que les soldats qui les attendaient à l'autre bout du tunnel seraient mieux préparés que les quelques sentinelles que Naïké avait si habilement neutralisées ; ils auraient besoin de toutes leurs forces pour les vaincre.

— Tu ne pourrais pas juste leur faire ta fameuse prise du sommeil ? demanda Aïnako quand Naïké vint s'asseoir près d'elle, à côté d'une flaque où se reflétaient leurs silhouettes blanche et fuchsia.

— Je pourrais essayer, mais je doute qu'elle soit très efficace contre quelques centaines de soldats armés et sur leurs gardes.

— En tout cas, c'était génial, dit Kaï. Tu crois que tu pourrais me la montrer ?

— Pas de problème. Mais, je te préviens, ce sont mes élèves du temps où j'enseignais qui m'ont donné mon surnom, pas les combattants que j'ai affrontés sur le champ de bataille.

— Tu oublies de mentionner que presque tous ceux à qui tu as montré ton truc n'ont jamais pu le maîtriser et qu'aucun ne s'est encore risqué à l'utiliser en dehors des salles de cours, fit remarquer Olian.

Naïké eut un petit rire de fausse modestie avant de confirmer les paroles de son neveu.

— Même Éléssan ? s'étonna Aïnako.

Naïké regarda Éléssan, qui leur faisait dos et discutait avec Iriel et Erkor. Elle sourit.

— Je crois que c'est trop… délicat. Il préfère les attaques directes et franches.

Elle continua à parler, toujours en fixant la silhouette dorée d'Éléssan, mais Aïnako n'écoutait déjà plus. Elle sentait qu'elle s'enfonçait dans ses pensées et que tout devenait silencieux. Elle avait l'impression d'être ailleurs, de s'éloigner du présent. Les soldats qui l'entouraient devenaient de plus en plus flous, et même son propre corps lui sembla soudain moins tangible. Une solitude et une détresse qui n'étaient pas les siennes la submergèrent et elle sentit qu'elle perdait contact avec la réalité.

Une seconde plus tard, les commandants annonçaient qu'ils reprenaient la route et elle émergeait de sa rêverie. Elle inspira longuement. Était-ce ainsi qu'Erkor percevait les souvenirs des pierres, sous forme d'émotions et de sensations intangibles? Elle se pencha pour observer son reflet dans la flaque pendant qu'elle refaisait sa queue de cheval. Elle eut l'impression qu'un autre visage se superposait au sien, un visage d'enfant encadré de longues mèches blanches et éclairé par de grands yeux argentés. Elle ne le vit qu'un instant, mais elle eut la certitude que c'était la mélancolie de ce petit garçon qu'elle avait perçue quelques instants plus tôt. Il devait souvent venir se réfugier là, pensa-t-elle en faisant faire un ultime tour à son élastique avant d'aller rejoindre ses amis.

# 10

# Les feux follets

Elle continua à sentir la présence du petit garçon tandis qu'ils progressaient le long du second tunnel. Elle se demanda à quelle époque il était passé là. Ce devait être récent, car la pierre semblait en garder une vive impression. Plus elle avançait, plus elle sentait que ses sentiments évoluaient, qu'ils se complexifiaient. Comme s'il avait vieilli. Mais l'émotion dominante était sans conteste une peine d'enfant, naïve et absolue.

La tension montait parmi les soldats à mesure qu'ils approchaient de la fin du tunnel. Ils savaient que les soldats de Taïs et de Valrek les attendaient de pied ferme. Ils arrivèrent bientôt près d'une courbe et Éléssan s'arrêta. Il vérifia l'ordre de la troupe et, comme prévu, partit devant, suivi de Handur et d'Iriel. Les autres leur emboîtèrent le pas. Si la description d'Erkor était juste, ils verraient la lumière de la place royale au tournant.

Le cœur d'Aïnako battait la chamade. La peur lui comprimait la poitrine. Elle tenta d'avaler sa salive, mais sa bouche était trop sèche. Comme dans une vision, elle se revit chez elle, dans le monde des humains, avec sa famille, avec Chloé, avec ses amis à l'école.

Elle se secoua, se força à ralentir sa respiration, essaya de vider son esprit et se mit en marche, les jointures presque blanches à force de serrer l'épée de zircon qu'elle avait récupérée la veille parmi les armes devenues orphelines.

Les gnomes, qui ne pourraient pas grand-chose contre les éventuelles attaques lumineuses malgré les menottes de diamant noir qu'Éléssan leur avait remises et les quelques épées qu'ils avaient prises aux gardes de Valrek, venaient en tout dernier.

Une vague de lumière apparut au moment où Aïnako tournait le coin, fonçant sur les soldats d'Élimbrel comme le souffle d'une explosion. Éléssan n'eut besoin de crier aucun ordre. Les boucliers se déployèrent et trois éruptions giclèrent de sa propre épée et de celles de Handur et d'Iriel. La force conjuguée de leurs trois lumières emboutit la vague de l'ennemi. Le choc se répercuta dans tout le tunnel. On aurait dit que le plafond allait s'effondrer, mais la pierre tint bon et les soldats foncèrent.

Les premiers elfes jaillirent en une explosion lumineuse, puis s'envolèrent ou se rangèrent sur les côtés pour laisser passer le reste de la troupe tout en continuant de bombarder l'ennemi.

Quand Aïnako émergea au milieu des gerbes multicolores, on était déjà en pleine bataille. Tout près du tunnel, un stupéfiant palais de verre surplombait l'immense cour de rocher gris. Ses tours effilées s'élevaient jusqu'au sommet de la grotte, mais elle ne les remarqua pas vraiment. Ses yeux n'enregistraient que les soldats qui tournoyaient dans tous les sens.

La peur ne l'avait pas quittée, mais l'ivresse de l'action guidait ses mouvements. Animée par des siècles de mémoire parentale, elle avait l'impression que ce n'était pas vraiment son bras qui frappait, pas vraiment sa lumière qui éclatait, mais plutôt l'expérience de sa mère et peut-être aussi de son père et de leurs parents avant eux qui lui permettaient de continuer, de garder son sang-froid, de ne pas s'enfuir en courant.

Quand Erkor, Varénia, Karask et les autres gnomes surgirent du tunnel en brandissant leur épée d'acier ou de diamant noir, la tête à découvert et débarrassés de leur veste pour laisser paraître leur maillot noir, le nouveau commandant de l'armée d'Okmern, nommé quelques heures auparavant seulement, cria à ses soldats de passer à l'attaque, attendit une seconde, et arracha sa propre veste. La moitié des gnomes l'imitèrent.

Valrek et ses gardes, armés des mêmes épées et boucliers de diamant noir, étaient déjà en train d'affronter les soldats d'Élimbrel, faisant équipe avec ceux de Shamguèn. Le roi ne prit conscience de la mutinerie qui venait de lui ravir la moitié de ses combattants qu'au moment où il se retrouva devant sa sœur.

— Je crois qu'ils seront moins nombreux que prévu à pleurer ta mort, siffla Varénia en levant son épée.

Une vague de lumière la faucha avant qu'elle puisse l'abaisser. Elle se releva, secoua la tête pour retrouver ses esprits et, soutenue par un groupe de gnomes en maillot noir, s'élança vers l'elfe en uniforme blanc qui venait de l'attaquer. Valrek poussa un hurlement de rage. Il voulut poursuivre sa sœur, mais un mur vert émeraude lui barra la route. Handur, dressé de toute sa hauteur, avait levé la main gauche pour l'arrêter. Sa lumière jaillissait de sa paume tendue, mais le bouclier noir du gnome l'absorbait au fur et à mesure. Le maître d'armes virevolta sur lui-même avec une agilité surprenante pour sa carrure. Son épée réussit à percer la défense de son adversaire, mais un soldat d'Okmern resté fidèle à son roi l'arrêta sur sa lancée. Les deux lames se rencontrèrent bruyamment et Valrek en profita pour retourner s'abriter derrière ses gardes.

Au cœur du même groupe confus de combattants, Kaï était aux prises avec un autre gnome armé de diamant noir. Elle tournoyait dans tous les sens et son épée dessinait des arcs bleu pâle éblouissants, mais son adversaire ne se laissa pas déjouer par ses feintes et ses pirouettes. Alors qu'elle déployait ses ailes pour effectuer une culbute au-dessus de la tête chauve du gnome, la lame noire lui lacéra un mollet. Sa lumière s'éteignit et elle tomba. Elle aurait certainement été contrainte de se rendre si Handur ne s'était porté à son secours. Il venait de se défaire de son propre opposant et se débarrassa rapidement de celui de Kaï. Le maître et l'élève s'allièrent pour affronter le reste des gardes.

Aïnako se battait aux côtés d'Olian contre deux elfes vêtus de blanc. Ensemble, ils arrivaient sans trop de mal à repousser les attaques de leurs ennemis, mais ils ne cessaient de reculer et se retrouvèrent bientôt acculés au mur de roc gris, loin du reste de la mêlée, tout près du palais de verre. Aïnako posa un pied sur la paroi fraîche, se donna un élan, ouvrit les ailes et… alla rouler sur le plancher dur.

Quand elle finit par s'immobiliser, elle avait l'impression d'avoir été passée au rouleau compresseur. Elle voulut se relever, voir qui l'avait propulsée loin d'Olian et de leurs adversaires ; un torrent bleu électrique la maintenait au sol. Elle tenta de mobiliser son énergie pour repousser cette force qui compressait tout son corps, mais elle en fut incapable. La lumière de son attaquant pesait sur la sienne et l'empêchait de sortir. Elle réussit à peine à soulever sa tête.

À l'autre bout du déluge bleu, une petite elfe habillée de blanc, au visage triangulaire et aux grands yeux jaunes bordés de cils bleu marine, l'observait avec un étrange rictus. Sans cesser de cracher sa lumière, elle fondit sur elle et plaqua une main sur son thorax tout en lui écrasant les bras sous ses genoux repliés. Elle lui cala une épée de saphir contre la gorge et se pencha sur elle, si près que les traits de son visage s'embrouillèrent.

— Ce serait si facile, susurra-t-elle. Mais notre reine te veut vivante.

Aïnako ne réfléchit pas. Elle rassembla ses forces et réussit à lever sa tête de quelques micromètres. Elle la tourna ensuite très vite pour que le fil de la lame restée sur sa gorge lui entaille la peau. La coupure ne fut que superficielle, mais elle dut retenir un cri de douleur. Son mouvement déstabilisa son attaquante, qui ne voulait surtout pas désobéir à sa reine en laissant sa prisonnière s'égorger elle-même. Sa lumière pâlit et sa prise faiblit d'un iota. C'était ce qu'attendait Aïnako. Elle lui empoigna les cheveux, se dégagea et bondit sur ses pieds. Un raz de marée blanc jaillit de la lame de zircon et renversa la soldate, qui se releva aussitôt et se rua sur elle.

Éléssan sembla alors se matérialiser entre elles. Un rideau d'or se dressa devant lui et repoussa la lumière de la soldate, qui, sans se laisser surprendre, le submergea d'une vague bleue presque aussi haute que la grotte. Le bouclier d'or s'effrita et Éléssan fut englouti. Le bleu devint si intense qu'on ne voyait plus rien de lui, pas la moindre petite goutte dorée. Un sourire triomphant fendit le visage de son ennemie tandis qu'une violente sensation de vide envahissait Aïnako.

Sa lumière continuant à jaillir de son épée, la soldate s'approcha du tourbillon bleu qui s'était refermé sur son opposant. Aïnako se prépara à se jeter sur elle, mais s'arrêta en voyant que la lumière bleue commençait à se tordre et à se replier sur elle-même. Des reflets ambrés apparurent, s'intensifièrent, éclatèrent.

L'or avala le bleu et fondit sur l'elfe aux yeux jaunes.

La lumière d'Éléssan émergeait de la lame de topaze comme une avalanche déchaînée, brute et indomptable. Les deux mains agrippées à la poignée de son arme, l'autre dérapa et dut battre fortement des ailes pour éviter d'être emportée. Elle finit tout de même par reprendre pied et le bouclier qu'elle avait déployé devant elle se rétracta jusqu'à former un étroit faisceau qu'elle propulsa contre le jet d'or que lui envoyait toujours Éléssan.

L'impact le fit reculer et sa lumière céda du terrain à celle de son opposante. Ils étaient maintenant à égalité. Mais cet équilibre fut rapidement brisé. L'épée d'Éléssan parut lui échapper et plus rien ne semblait devoir arrêter le geyser bleu de son ennemie qu'il ne retenait plus que d'une seule main tremblante.

Ce ne fut que lorsqu'il tendit l'autre main, qui tenait toujours aussi solidement son épée, qu'Aïnako comprit qu'il n'avait jamais été en danger. Un ouragan doré plus aveuglant que mille soleils sortit de la lame de topaze et percuta la soldate, qui ne put qu'écarquiller les yeux en heurtant la paroi rocheuse. Quand la lumière dorée disparut, elle glissa au sol comme une poupée de chiffon.

Éléssan se tourna vers Aïnako :

— Tu n'as rien ?

Elle porta une main à sa gorge et secoua la tête. Puis elle contempla les coulées pourpres qui tachaient son uniforme et voulut lui dire que la soldate savait, que Taïs savait qui elle était et qu'elle la voulait vivante, peut-être pour avoir le plaisir de la tuer elle-même, mais il était déjà occupé avec un autre ennemi. Elle se rappela alors Olian, acculé au mur, seul contre deux adversaires. Elle pivota sur elle-même et, ne voyant rien à travers le désordre des lumières, fonça.

Mais elle n'avait pas fait quatre pas qu'une quinzaine de silhouettes rougeoyantes, dont les cheveux de feu camouflaient en partie les petites cornes rouges qui faisaient saillie de chaque côté de leur tête, surgissaient de l'entrée de la place royale comme de la bouche d'un volcan.

Vêtus de longues cottes de mailles aussi ardentes que leur peau, une épée d'acier chauffée au rouge à la main, les feux follets sautèrent dans la bataille. Sachant que leur immunité ne durerait pas, ils tâchaient d'œuvrer le plus rapidement possible. Chacun des coups qu'ils portaient était mortel. Ils évitaient toutefois de toucher directement leurs adversaires avec autre chose que leur arme brûlante, répugnant peut-être à causer plus de souffrance que nécessaire.

Une odeur de métal surchauffé se répandit dans la grotte.

Aïnako ralentit sans s'en rendre compte. Une peur animale la prit au ventre.

Quand l'un d'eux lui barra la route, son premier réflexe fut de lui balancer une vague de lumière. La vague l'atteignit à la poitrine et se désagrégea aussitôt. Le feu follet ne s'arrêta même pas. Ses cornes ressemblaient à deux langues de feu, chaque mèche de cheveux faisait penser à une rivière de lave, son visage incandescent était troué de deux yeux d'une noirceur abyssale et sa bouche n'était qu'une ligne horizontale, comme s'il se mordait les lèvres par en dedans. Aïnako pensa qu'il avait l'air aussi terrifié qu'elle, sinon plus, mais ne douta pas un instant qu'il la tuerait s'il en avait l'occasion.

Elle se souvint alors de la gourde qui pendait à sa ceinture. Elle la décrocha, fit sauter le bouchon avec son pouce et en jeta tout le contenu sur le feu follet. Mais il pivota et l'eau ne fit que l'effleurer. L'éclat de son corps faiblit à peine et il revint à l'assaut. Affolée, Aïnako fit un bond de côté. Les mouvements de son opposant étaient lents et maladroits. Il ne s'était manifestement jamais battu sur un vrai champ de bataille. Elle tenta de réfléchir, de trouver un moyen de profiter de son inexpérience.

La chaleur qu'il dégageait lui brûlait l'épiderme. Elle sentait ses cils et ses sourcils roussir. Ses paumes moites adhéraient mal à la poignée de son arme. Elle battit des paupières pour chasser les gouttes de sueur qui lui piquaient les yeux, serra les doigts autour de son épée et bondit, sa lame de zircon pointée sur la gorge de son opposant. Si elle parvenait à la lui transpercer du premier coup, elle pourrait peut-être s'en sortir sans brûlures graves.

Le feu follet tourna en reculant d'un pas. Elle rata sa cible et vit la lame de braise plonger vers sa tête. Elle para le coup, mais le dos de sa main frôla un bras en combustion. La chair se consuma aussitôt. Elle cria. L'autre revenait déjà à la charge. Elle réagit avec une demi-seconde de retard. La lame de son adversaire lui entailla un bras, lui arrachant un second cri. Elle se rendit compte que la panique était en train de la gagner. Elle n'arrivait plus à réfléchir. Il fallait qu'elle arrête d'hésiter et qu'elle attaque. L'épée du feu follet allait s'abattre sur elle. Elle la repoussa et, avec un hurlement presque bestial, se jeta sur lui.

Son assaillant eut l'air surpris. Sa surprise se changea en épouvante quand une demi-douzaine de gourdes d'eau se vidèrent simultanément sur sa tête. La température de son corps chuta aussitôt. Ses cheveux passèrent du rouge au brun pâle. Son visage et ses cornes crépitèrent et s'assombrirent jusqu'à devenir aussi noirs que du charbon. Son torse et ses bras suivirent, et enfin ses jambes, où des reflets orangés continuaient à brasiller de plus en plus faiblement. Déconcerté, il cligna plusieurs fois les yeux. Aïnako s'immobilisa. La terreur qu'elle avait cru déceler en lui devint si criante qu'elle ne put s'empêcher d'avoir pitié. Incapable de lever son arme sur lui, elle lui jeta une vague de lumière qui l'envoya rouler au sol où il resta étendu, assommé.

Au-dessus d'elle, les elfes qui venaient de lui porter secours avaient disparu sans qu'elle ait eu le temps de les reconnaître, et encore moins de les remercier. Elle jeta un coup d'œil autour d'elle et ne compta qu'une dizaine de silhouettes enflammées, qui subirent bientôt toutes le même sort. Partout, elfes d'Élimbrel et gnomes en maillot noir s'unissaient pour les inonder et les mettre hors de combat.

Le passage des feux follets avait été rapide, mais il avait été marqué par de lourdes pertes dans le camp de leurs adversaires. Une odeur de chair calcinée flottait dans l'air.

Aïnako vit Iriel empêcher un autre soldat

d'enfoncer son épée dans la poitrine de l'un d'eux, dont le corps inerte n'était parcouru que par de faibles flammèches. Un tel élan de magnanimité l'aurait sans doute surprise vingt-quatre heures plus tôt, mais elle avait maintenant la conviction qu'il n'était pas l'individu froid et insensible qu'il donnait l'impression d'être. Il ne s'abaisserait jamais à abattre un adversaire déjà hors de combat.

Il s'était entouré d'un bouclier bleu argenté, mais un de ses bras et la moitié de son visage brillaient plus que le reste. Elle se demanda si c'était le feu follet qu'il venait de sauver qui lui avait infligé ces brûlures. Quand l'ancien commandant s'aperçut qu'elle l'observait, il lui adressa un regard indéchiffrable et elle crut voir un des coins de sa bouche se relever en un sourire caustique. Elle essuya la sueur qui coulait sur son visage et reprit sa course où elle l'avait interrompue.

Olian était maintenant presque caché derrière le palais de verre. Il haletait et son corps portait les marques de nouvelles blessures, mais il avait réussi à s'éloigner du mur. Sans ralentir l'allure, Aïnako accrocha son regard et ils s'unirent pour faucher leurs ennemis d'une puissante lame de fond qui les projeta au loin.

Olian se tourna vers elle et eut un sourire soulagé. Son épée brillait encore de sa lumière rouge, comme ses yeux. Il tendit une main vers elle et ouvrit la bouche pour dire quelque chose, mais les deux soldats s'étaient déjà relevés et semblaient déterminés à se venger de l'humiliation qu'ils venaient de subir.

Une voix aiguë résonna derrière eux.

— Pas elle. Elle est à moi.

Les soldats se figèrent. Une elfe maigre aux longs cheveux argentés qui scintillaient comme un reflet de lune sur la mer fixait Aïnako de ses yeux de glace. Quatre ailes sombres, sillonnées d'arabesques vertes et dorées, se refermèrent lentement dans son dos quand elle se posa devant elle.

Même si elle ne l'avait jamais vue, Aïnako la reconnut sur-le-champ.

# 11

## Taïs

Sans se consulter, les deux amis bondirent sur la reine de Shamguèn. Une force insurmontable les arrêta en plein vol.

Taïs les avait enveloppés dans un épais nuage mauve et parvenait à les maintenir dans les airs, comme s'ils avaient été faits de plumes et non de chair. Elle était vêtue d'une tunique et d'un pantalon blancs et rien ne la distinguait de ses soldats. Ses yeux happèrent ceux d'Aïnako.

— Ton petit copain ? demanda-t-elle de sa voix fluette en désignant Olian de la tête.

Aïnako eut envie de lui cracher au visage, mais même sa bouche était pétrifiée par la lumière mauve qui l'encerclait. Elle n'avait jamais, jamais ressenti une telle puissance.

Taïs poursuivit, son petit nez plissé de dédain :

— Pas tout à fait digne d'une princesse, tu ne trouves pas? Ha! ha! ha! Ne fais pas cette tête-là. Tu croyais vraiment que j'ignorais ton existence? Ça fait des années que je sais que tu te caches parmi les humains. Et je sais aussi de quoi tu es capable. Je sais toute la force qui se cache en toi. Ce n'est évidemment rien comparé à la mienne, mais quand même, ça ne me déplairait pas de la posséder. Je vais donc t'offrir un marché. Si tu acceptes, tu as la vie sauve. Si tu refuses, je te prends ta lumière. Bon, qu'est-ce que tu dirais qu'on aille discuter dans un endroit plus intime? Mais avant…

Taïs baissa les yeux sur les menottes de diamant noir qui se balançaient à côté de son fourreau, à l'air libre, même pas camouflées dans un étui. Elle leva la tête vers Olian. Une expression agacée tordit ses lèvres et, sans relâcher son emprise sur Aïnako, elle attira le jeune soldat jusqu'à pouvoir le toucher de ses longs doigts tendus. Du bout d'un ongle, elle traça doucement le contour de son visage. Elle souriait. Elle se tourna vers Aïnako et dit en haussant les épaules:

— Tu t'en remettras vite, tu verras. On finit toujours par s'en remettre.

Sous les yeux affolés de sa prisonnière, elle plaqua une main contre la fine cicatrice encore visible à travers le t-shirt déchiré d'Olian. Son bras qui jusque-là ruisselait de mauve se teinta d'une frêle lueur rouge. Aïnako voulut crier, frapper, mais son corps ne lui obéissait plus. Le rouge coula le long du bras de la reine de Shamguèn avant de disparaître en elle. Olian tenta de lutter, mais ne put que hurler de douleur. Quand Taïs eut drainé jusqu'à la dernière goutte de sa lumière, elle le lâcha et il s'écrasa mollement à terre.

Un ouragan de haine submergea Aïnako. Elle sentait sa lumière se démener en elle, prête à éclater. Elle n'avait jamais ressenti une telle fureur. En fait, elle n'avait jamais véritablement haï qui que ce soit avant cette seconde. « C'est maintenant, se dit-elle. C'est maintenant que ça va se passer. » Elle força sa lumière à pousser sur celle de Taïs, plus fort, encore plus fort, jusqu'à ce qu'elle explose en une effroyable supernova blanche.

Aïnako retomba sur ses pieds, mit une main à terre pour conserver son équilibre et se redressa en jetant son épée. La lumière qui jaillit de son thorax n'avait jamais été aussi forte. Et parfaitement contrôlée. Elle tendit les bras devant elle. L'intérieur de ses poignets se touchait presque et ses mains formaient une sorte de fleur où sa lumière se concentrait avant d'être éjectée sur son ennemie.

Taïs se laissa d'abord surprendre et recula, mais elle se reprit rapidement et tendit elle aussi les mains dont une tenait son épée pour repousser le flot de lumière blanche qui cherchait à l'écraser.

Aïnako poussait de toutes ses forces sur sa lumière. Elle la sentait tourbillonner dans son ventre, envahir chaque recoin de sa cage thoracique et traverser ses bras comme un fil de feu. Ce n'était plus seulement son thorax qui brûlait, c'était son sang, ses muscles et sa peau, c'était tout son corps et son esprit. Sa lumière percutait celle de Taïs. Elle la bousculait et la refoulait le plus loin possible, de plus en plus loin.

Mais la reine ne cédait toujours pas et, lentement, le mauve se mit à gruger le blanc. Aïnako redoubla d'efforts. Le blanc engloutit à nouveau le mauve. Taïs fut encore une fois forcée de reculer, mais elle refusait de se rendre. Ses ailes battaient fort dans son dos, ses mains étaient serrées sur la poignée de son arme et son regard était fixé devant elle. Pas une fois elle n'avait détourné les yeux de ceux de son adversaire. Le mauve repartit à l'assaut du blanc.

Lorsque sa lumière eut gagné suffisamment d'intensité pour égaler celle d'Aïnako, Taïs fit un premier pas vers elle. Et un autre. Et encore un. Une peur glacée envahit Aïnako. Elle poussa encore plus fort, pressant sa lumière hors de son corps, mais sa force faiblissait déjà. Ses bras se mirent à trembler et ses jambes à flageoler. Un bourdonnement emplit graduellement sa tête. Ce fut à son tour de reculer. Le mauve avait presque dévoré le blanc.

Un cyclone fuchsia s'abattit alors sur son opposante et parvint à la renverser. Ne rencontrant plus aucune résistance, Aïnako tomba à quatre pattes et sa lumière s'éteignit. Haletante, elle se passa une main sur le visage et tourna la tête vers Taïs.

Naïké faisait de son mieux pour la maintenir au sol, une main sur son sternum, les genoux sur ses cuisses et son épée de rubis à un doigt de sa gorge, mais ses forces s'amenuisaient à toute allure, comme si le simple fait de se trouver en contact avec Taïs suffisait à affaiblir sa lumière, tandis que celle de son ennemie devenait de plus en plus éclatante.

Le sang d'Aïnako se figea. Naïké. Il fallait qu'elle s'éloigne. Maintenant. Elle n'avait aucune chance. Elle lui cria de fuir, mais son amie ne bougea pas. Tous ses muscles étaient tendus, ses ailes vert d'eau battaient lentement, mais puissamment, et sa lumière pâlissait à vue d'œil.

— Naïké ! cria une autre voix.

Les ailes encore ouvertes, Éléssan venait de se poser de l'autre côté des deux combattantes. Aïnako se leva. Elle avait mal partout et la tête lui tournait encore, mais elle refusait de rester au sol pendant que ses amis affronteraient Taïs.

— Éloignez-vous, ordonna Éléssan.

Cette fois, Naïké obéit et s'envola. Mais sa blessure n'était pas aussi guérie qu'elle le croyait et elle ne fut pas aussi rapide qu'elle s'y attendait. L'aile qu'elle avait failli perdre était encore trop faible et elle ne put prendre suffisamment d'altitude. Taïs l'emprisonna dans un nuage mauve, tout en bloquant le torrent doré d'Éléssan d'un jet tout aussi puissant de lumière violette.

Sans quitter le combat des yeux, Aïnako força quelques profondes inspirations dans ses poumons en laissant sa haine la submerger et sa lumière se raviver. Son corps cessa peu à peu de trembler et elle sentit sa force lui revenir. Sa vue était voilée d'un film de lumière blanche qui, loin de l'empêcher de voir, rendait le monde plus clair, plus tranchant. Cette fois, Taïs ne pourrait pas l'arrêter. Elle s'apprêtait à libérer l'énergie qui grondait dans son ventre quand Éléssan lui cria quelque chose qui se perdit dans le vacarme de la bagarre.

Ce ne fut que lorsqu'elle sentit la pierre froide

contre sa peau qu'elle comprit qu'il avait voulu l'avertir. Un garde de Valrek avait réussi à s'approcher d'elle par-derrière et venait de lui menotter un poignet ; il n'eut aucune difficulté à menotter l'autre une fois sa lumière neutralisée par le diamant noir. Elle se débattit, mais ses os lui semblaient si lourds, ses muscles si mous !

Un deuxième garde profita de la diversion pour se jeter sur Éléssan et tenter de lui planter son épée dans le dos. Sans cesser de déverser sa lumière sur Taïs, le commandant bondit de côté. La lame noire manqua son dos, mais lui entailla l'épaule, lui ravissant sa lumière une fraction de seconde, ce qui permit à Taïs de le renverser.

Elle tenta de l'emprisonner dans un cocon pareil à celui qui retenait Naïké, mais il s'était déjà relevé. Ayant retrouvé l'usage de sa lumière, il parvint à se dégager du nuage violet qui se refermait sur lui. Le garde revint à la charge. Éléssan contra tant bien que mal le coup tout en retenant de sa main libre la rivière de feu mauve que Taïs continuait à lui vomir dessus.

Aïnako se démenait pour essayer de se libérer, mais le gnome qui l'avait menottée lui enserrait solidement les bras. Elle avait beau s'agiter, tenter de mordre, donner des coups de pieds et de tête, elle ne parvint qu'à se faire des bleus et à s'arracher la peau des poignets sur les menottes. Elle continuait pourtant, ignorant la fatigue, ressentant à peine la douleur, ne voyant que son ami en train de succomber devant la seule personne qu'elle ait jamais détestée.

Éléssan dut délaisser le combat qu'il menait contre le garde de Valrek pour repousser la lumière mauve qui s'apprêtait à l'avaler. Le garde se rua sur lui, cherchant une nouvelle fois à lui transpercer le dos. Éléssan tenta d'esquiver le coup. Il parvint à faire en sorte que la lame de diamant noir rate son cœur, mais il ne fut pas assez rapide pour l'éviter complètement. L'arme s'enfonça dans sa chair, passa sous la clavicule droite et ressortit devant lui, tout près de la blessure que le garde lui avait déjà infligée et qui venait à peine de se refermer.

Il ne put retenir un cri. La lumière dorée s'évapora. Le torrent mauve le percuta et il s'écroula. Couché sur le côté, l'arme du garde toujours fichée dans le dos, les doigts crispés sur la poignée de sa propre épée, il essaya vainement de se relever. La lumière mauve l'écrasait comme une main énorme et cruelle.

Taïs s'avança jusqu'à lui. D'une main, elle retenait Naïké qui criait et luttait dans sa prison cotonneuse, de l'autre elle pointait son épée sur son ancien adversaire transformé en proie sans défense. Elle l'observa un moment et leva un genou pour lui broyer la main, celle qui s'accrochait encore désespérément à son arme, sous la semelle de sa botte. Les doigts d'Éléssan s'ouvrirent en craquant et Taïs projeta son épée au loin d'un coup de pied.

Sa lame d'améthyste toujours dirigée vers lui, elle le libéra enfin de l'emprise de sa lumière. Il tenta de se hisser sur ses pieds, mais, épuisé par son double combat et le diamant noir qui rongeait ses dernières réserves d'énergie, il retomba. Le garde qui venait de lui trouer le dos lui menotta les poignets et lui cala un pied entre les ailes pour reprendre son arme. Le t-shirt vert d'Éléssan s'imbiba de rouge dès que la lame quitta son épaule. Le garde leva son épée, mais Taïs intervint.

— Ne le tue pas ! Il a quelque chose que je veux. Et quelques explications à nous donner, à moi et à cette charmante demoiselle.

Elle désigna Aïnako avant de se tourner vers Naïké.

— Sans compter que je ne voudrais pas le priver de la suite.

Le garde obtempéra, mais ne rangea pas son arme. Il força son prisonnier à se redresser et le maintint debout devant Taïs. Éléssan leva la tête pour regarder Naïké. Leur visage renvoyait le même amalgame de rage et de désespoir. Il ne ferma pas les yeux quand la lumière de Naïké commença à la quitter et que ses muscles se détendirent sous le poids de l'inconscience.

Le bras, puis tout le corps de Taïs se teintèrent de fuchsia avant de reprendre leur lueur mauve habituelle.

Éléssan resta muet et son regard s'obscurcit.

# 12

## Les rois

Aïnako avait crié et roué son gardien de coups de talons. Elle était maintenant immobile et silencieuse, comme assommée. Elle remarqua à peine que Taïs jetait le corps de Naïké près de celui d'Olian, aboyait des ordres à ses soldats et s'éloignait, dissimulée par l'éclat mauve qui émanait de chaque cellule de sa peau.

Comment Éléssan avait-il pu croire qu'ils arriveraient à vaincre une telle puissance ?

La lumière mauve sembla bientôt occuper tout l'espace. Même le palais de verre en rayonnait. Aïnako regarda, impuissante et désespérée, ses amis et ses frères d'armes tomber sous le joug de Taïs. C'était fini. Elle avait failli à sa mission et déçu tous les espoirs que sa mère avait placés en elle.

Taïs se tenait parmi les morts et les blessés comme un épouvantail au milieu d'un champ brûlé. Le roi gnome était à ses côtés, flanqué d'une demi-douzaine de ses gardes. Aïnako reconnut Omkia, celui qui lui avait sauvé la vie il y avait à peine vingt-quatre heures. Les cloques avaient disparu de ses mains et de son crâne.

— Amenez-moi la fille de Silmaëlle, ordonna Taïs.

Le garde qui tenait Aïnako jeta un coup d'œil au roi qui acquiesça. Aïnako sentit ses pieds racler le sol pendant qu'on la traînait sans ménagement. Les regards incrédules des elfes et des gnomes encore conscients, menottés de diamant noir pour les uns et d'acier trempé pour les autres, se posèrent sur elle. Même les feux follets, dont la peau semblait maintenant aussi friable que du papier carbonisé, tournèrent des yeux étonnés dans sa direction. Elle le remarqua à peine.

— Je veux aussi celle-là, la seule véritable enfant de ma sœur, dit Taïs en pointant Kaï, menottée, mais bien éveillée, prise entre un gnome et un elfe.

Le gnome saisit Kaï par le bras et la planta à côté d'Aïnako. Elle essaya de sourire à son amie avant de darder des yeux mauvais sur Taïs.

— J'aurais évidemment aimé que notre rencontre se passe autrement, commença la reine en les observant à tour de rôle, mais vous ne m'avez guère laissé le choix en vous alliant à ces lâches.

— C'est toi, la lâche, cracha Kaï.

Taïs plissa ses grands yeux fauves. Ses longs cils projetaient des ombres pâles sur ses pommettes.

— Je sais que Tsamiel a fait en sorte que tu ne te souviennes pas de sa vie, mais tu n'es quand même pas si naïve ! Tu dois bien te douter qu'elle n'était pas la pauvre victime vertueuse qu'elle prétendait être. Ça m'étonne même qu'elle t'ait laissée vivre. Il faut croire que son âme n'était pas pourrie au point d'assassiner sa propre enfant… Je dis qu'ils sont lâches parce qu'ils n'ont jamais cherché à entendre ma version des faits. Ils sont lâches parce qu'ils n'ont jamais douté du tissu de mensonges qu'on leur a raconté à mon sujet. On leur a dit que mon père avait été trouvé mort, dans ma propre chambre, tué par ma propre épée, et ils n'ont jamais trouvé suspect que j'aie pu commettre deux erreurs aussi stupides. On leur a dit que j'étais coupable et ils l'ont cru sans se poser la moindre question.

— Et tu penses vraiment qu'après tout ce que tu as fait, tout ce qu'on t'a vue faire, on pourra croire autre chose ? dit Aïnako d'une voix sans timbre, comme trop abasourdie par tout ce qui venait de se passer.

— Ils t'ont dit que j'avais tué mon père et que j'avais essayé de tuer ma sœur par jalousie, parce que le conseil royal désirait la faire monter sur le trône à ma place, n'est-ce pas ?

Aïnako ne répondit pas.

— La vérité, c'est que c'est Tsamiel, ma propre sœur, qui a voulu me tuer après avoir tué notre père. Mais j'ai réussi à lui échapper et je me suis enfuie avec ceux qui m'étaient restés fidèles. Nous n'étions qu'une vingtaine au début, mais, quand vous verrez la cité que nous avons bâtie, vous comprendrez que beaucoup d'autres ont volontairement choisi de se joindre à nous.

— Ah oui ? fit Kaï. Parce que tous ces villageois, tous ces elfes sauvages, et même ces feux follets que tu as forcés à venir grossir les rangs de ton armée l'ont fait de gaieté de cœur ? Tu ne les as pas assiégés, tu ne les as pas menacés de mort s'ils refusaient de te suivre ?

Taïs eut un rire léger.

— C'est vrai que certains ont été plus durs à convaincre que d'autres, mais aujourd'hui il n'y en a pas un qui ne soit fier d'appartenir à Shamguèn.

— Parce que tu as tué tous les autres !

— Je n'ai jamais tué un seul de mes citoyens, pas même un seul prisonnier.

— Non, tu leur as volé leur lumière, dit

Aïnako d'un ton acide. Et tu en as tué tellement d'autres ! Je ne comprends même pas comment tu fais pour ne pas te détester toi-même, avec toutes les atrocités que tu as commises.

— Tu crois vraiment qu'il y a des bons et des méchants dans cette histoire ? dit Taïs. Tout le monde n'en a que pour ses intérêts personnels, sa petite personne, son image, son petit confort.

Elle regarda Kaï.

— Tu crois vraiment que tous ces villageois, ces elfes sauvages et ces feux follets m'auraient suivie si Élimbrel s'était toujours montré juste envers eux, si l'armée d'Élimbrel les avait protégés, si les souverains d'Élimbrel les avaient considérés comme importants ? J'ai commis des écarts, oui, mais rien de plus que ce qu'Élimbrel a fait, rien de plus que ce que Tsamiel m'a fait.

Les yeux de Taïs flamboyaient. Elle se tut un instant, sembla réfléchir, puis se lança dans une longue tirade sur la jalousie et la trahison de Tsamiel, sur sa soif de pouvoir et son ambition dénuée de compassion. Elle gesticulait et son débit s'accélérait, alors que sa voix devenait de plus en plus aiguë. Aïnako avait mal à la tête et ses genoux tremblaient. Elle avait le vertige et se sentait au bord de l'évanouissement.

Elle abaissa les paupières et le garde dut resserrer sa prise sur ses bras.

La présence du petit garçon la hantait encore, mais, cette fois, elle voyait par ses yeux. Elle sentait toujours le plancher de pierre froide sous ses pieds nus, mais la grotte avait fait place à une petite pièce dont les murs semblaient de verre givré. En fait, elle ne se trouvait pas dans la pièce, mais plutôt dans l'embrasure de la porte, à peine entrebâillée, par laquelle elle observait deux personnes de profil, une elfe et un gnome en train de discuter.

Le gnome ressemblait à s'y méprendre au roi actuel. Seul le chiffre tatoué à la base de sa nuque était différent : vingt-huit. Le père de Valrek. Aïnako mit plus de temps à reconnaître l'elfe. Ses cheveux argentés étaient enroulés en deux macarons au-dessus de ses oreilles et faisaient ressortir les traits délicats de son visage. Sa voix semblait plus douce, plus fragile, comme un tintement de clochette. Mais ses yeux fauves brillaient toujours de l'éclat froid qui l'avait frappée la première fois qu'ils s'étaient posés sur elle.

Aïnako retenait son souffle avec le petit garçon. Il n'avait pas le droit de se trouver là, en train d'espionner la reine de Shamguèn et le roi d'Okmern. Le gnome tenait deux pierres noires qu'il faisait tourner dans sa main en pressant Taïs de questions. Elle répondit, sa réponse fut longue et, quand elle eut fini, Aïnako entendit un sifflement métallique. L'éclat d'une lame brilla dans la pénombre. Le petit garçon frémit et plaqua ses mains sur ses yeux, trop tard pour ne pas voir l'acier percer le ventre de Taïs. Quand il écarta les doigts, Taïs se tenait toujours en face du gnome, mais sa robe blanche avait pris une teinte rouge.

Soudain très éveillée, Aïnako ouvrit les yeux. Elle interrompit le monologue de Taïs en s'écriant :

— Je sais comment tu as volé la lumière de ma mère et de tous les autres. Je l'ai vu par les yeux du petit garçon. L'énergie du diamant noir coule dans tes veines. C'est le roi gnome… pas lui, l'ancien roi, son père. Il t'a tendu son épée et tu t'es toi-même ouvert le ventre juste en dessous du nombril et tu y as caché deux perles de diamant noir, exactement là où se trouve la source de ta lumière.

Taïs haussa les sourcils, mais ne sembla pas le moins du monde décontenancée.

— Aucun elfe ne pourrait survivre avec du diamant noir dans le corps, dit-elle en souriant comme si elle s'adressait à une pauvre enfant stupide.

Aïnako avait le cœur qui battait la chamade. Elle se força à garder les yeux dans ceux de son ennemie et répondit d'une voix que l'adrénaline faisait trembler :

— Sauf toi. La lumière de l'arbre-soleil coule aussi dans tes veines. Avant de quitter Lilibé, tu as volé une fleur et personne ne t'a arrêtée parce que tu étais la princesse, la future reine. Mais, quand Tsamiel t'a rattrapée, vous vous êtes battues et elle t'a blessée au ventre. Un de tes amis s'est jeté sur elle et un autre a essayé de te soigner, mais trop d'organes avaient été touchés. Tu as sorti la fleur, tu en as arraché le pistil et tu l'as mis dans ta blessure. Et tu as guéri tout de suite. Ta chair s'est refermée sur le pistil et il y est toujours, au même endroit, exactement là où se trouve la source de ta lumière. C'est ce que tu as dit au roi gnome, qui t'a répondu que, si tu pouvais combiner la force du diamant noir à celle de l'arbre-soleil, tu deviendrais invincible. Tu as accepté et c'est là qu'il t'a tendu son épée. C'est comme ça que tu réussis à t'approprier la lumière des autres et à augmenter ta force. Tu l'aspires avec le diamant et tu la conserves avec le pistil.

Elle se tut, légèrement essoufflée. Elle n'avait

jamais parlé aussi vite de toute sa vie.

— Bravo, dit Taïs sans se départir de son sourire. Je vois que tu ne manques pas d'imagination.

— C'est vrai et tu le sais. Je t'ai vue par les yeux du petit garçon. Il était là quand tu as tout avoué au roi gnome. Et moi, j'ai tout vu par ses yeux, tout entendu par ses oreilles.

Une lueur de peur apparut dans le regard de Taïs.

— C'est n'importe quoi, dit-elle en tentant de prendre un air hautain. Quel petit garçon ?

Aïnako eut l'impression que tous les soldats, elfes, gnomes et feux follets, échangeaient des regards perplexes, mais elle ne lâcha pas Taïs des yeux.

— Le petit garçon aux cheveux blancs. Je sens son énergie partout dans la pierre, ici, dans le tunnel, partout.

Les pupilles de Taïs se dilatèrent et elle resta muette un long moment. Enfin, elle murmura :

— Fælkor ? C'est par les yeux de mon fils que tu as vu Melkor m'offrir les diamants ? Comment est-ce possible ?

Elle s'approcha pour mieux voir le visage de son interlocutrice. Aïnako fit instinctivement un pas en arrière et se heurta au garde qui lui tenait les bras. Elle avait peur de ce que la reine allait dire. Elle avait peur de comprendre. Le regard de Taïs se posait alternativement sur chacun de ses yeux.

— Bien sûr, souffla-t-elle. Comment ne l'ai-je pas vu plus tôt ? Tu as ses yeux, les yeux de Fælkor… Les yeux de Melkor. La même couleur, comme le ciel avant l'orage. Tu es… Il faut que tu sois sa fille, la fille de mon fils, ma petite-fille…

Aïnako eut envie de crier que ce n'était pas vrai, mais une vertigineuse impression de chute libre la terrassa.

— C'est quoi, ces conneries ? s'écria Valrek en empoignant Taïs par le bras pour l'obliger à lui faire face. C'est vrai, ce qu'elle raconte ? Tu peux absorber la lumière d'autres elfes et l'intégrer à la tienne ? Et toi qui disais que tu pouvais seulement les dépouiller de leur énergie. Tu disais même que ça t'affaiblissait. Pendant tout ce temps où je te croyais, toi, tu t'employais à augmenter ta force en secret ?

Taïs dégagea son bras, mais resta debout devant le roi et lui renvoya son regard méprisant.

— J'ai mis près d'un siècle à maîtriser ce pouvoir, dit-elle d'une voix frêle qui tranchait avec l'expression haineuse de son visage. Je croyais que Melkor s'était trompé, qu'il était impossible de s'approprier la lumière d'un elfe. Il y a quelques années, j'ai enfin compris comment utiliser ma propre force pour amplifier celle des diamants et leur imposer ma volonté. N'importe quel gnome le moindrement doué y parviendrait sans doute, mais ça m'étonnerait qu'il survive très longtemps avec un concentré de lumière elfe à l'intérieur du corps. Même s'il n'en mourait pas, il serait bien incapable d'en utiliser ne fût-ce qu'une étincelle. C'est le pistil qui fait toute la différence. Sans lui, jamais je ne pourrais garder toutes ces lumières en moi, et encore moins m'en servir pour renforcer la mienne.

— Et tu gardais ce précieux renseignement pour toi ? fit Valrek du même ton mielleux qu'il prenait pour s'adresser à Varénia. Je t'ai même posé la question, tu te souviens ? Je t'ai demandé comment tu avais fait pour enlever sa lumière à la reine d'Élimbrel. Tu as joué aux innocentes, tu m'as dit que tu ne savais trop. Il ne t'est jamais passé par la miette de cervelle qui te permet à peine de te distinguer du pois mange-tout que ça aurait pu m'aider dans mes stratégies de guerre ?

Il eut un rire sarcastique qui retroussa encore plus ses lèvres sur ses dents blanches. Il poursuivit en plissant les yeux :

— À moins qu'un simulacre de plan ait réussi à germer entre les deux feuilles de chou de Bruxelles qui te servent d'oreilles? Tu croyais que ça te permettrait de me résister si je décidais de ne pas honorer ma partie du contrat? Après avoir vainement tenté de t'allier le peuple d'Élimbrel en forçant sa reine et ton fils à se marier contre leur gré, tu croyais pouvoir me vaincre seule en augmentant ta force? Tu es peut-être moins naïve que tu en as l'air!

— Et toi, dit Taïs sur le même ton, tu savais que Silmaëlle avait eu un enfant de mon fils?

— Pauvre belle-maman, tout le monde le savait.

Aïnako se tourna vers Éléssan. Coincé entre deux gardes, il fixait la scène d'un air désemparé. Est-ce qu'il savait, lui aussi?

— Qu'y a-t-il? fit le roi devant le regard fulminant de Taïs. Tes réseaux ne sont pas aussi fiables que tu le croyais?

— C'est toi qui les as sabotés! Tu voulais te servir de ce renseignement contre moi, me menacer de tuer ma seule véritable descendante si je ne me soumettais pas entièrement à toi. Si ton père était là, si tu ne l'avais pas lâchement trahi, car je n'ai jamais douté un instant que c'est toi qui l'as assassiné, rien de tout cela ne serait arrivé. Mais tu n'as jamais pu comprendre la force du lien qui nous unissait. Tu n'as jamais rien compris à…

— À quoi? Ah! Décidément, tu es aussi brillante qu'un tunnel de terre sans pierre si tu crois que mon père t'a déjà aimée, toi, une sale elfe. Dès qu'il a compris que tous les enfants que tu pourrais lui donner auraient l'air de moustiques moisis, il s'est empressé de te jeter comme un morceau de viande avariée. Il ne t'a jamais aimée, pas plus qu'il n'a aimé ce bâtard de fils que tu t'es arrangée pour avoir dans le bête espoir que ça t'apporte un peu de pouvoir sur Okmern.

— Tu ne connaissais même pas ton père! Tu crois vraiment que j'aurais manigancé la naissance de mon fils pour gagner de l'autorité sur un royaume gnome corrompu jusqu'à la moelle? Je crois qu'il n'y a pas eu un seul de vos rois qui n'ait assassiné son père pour monter sur le trône. Melkor, au moins, avait des remords.

— Des remords? Ah! tu vas me faire mourir de rire! C'était juste pour me dissuader de passer à l'action, oui.

— Donc, tu avoues!

— Évidemment que j'avoue! J'aurais même dû en profiter pour te régler ton compte, à toi aussi, pendant que j'y étais…

— Pourquoi donc ne l'as-tu pas fait?

— Tu ne sais vraiment pas, ou c'est une question rhétorique? C'est que je me dis toujours que c'est impossible d'être aussi simplette. La seule raison pour laquelle j'ai accepté de te laisser ta misérable vie après m'être taillé mon propre chemin vers le trône, c'est que tu me débarrasses toi-même des habitants d'Élimbrel qui asservissent mon peuple depuis trop longtemps. Mais, malgré tes superpouvoirs, il faut que je fasse tout moi-même. Vraiment, tu ne me sers plus à rien, elfe !

Il prononça ce dernier mot comme il aurait recraché une bouchée de pomme pourrie. Il tourna la tête vers ses gardes, mais n'eut le temps d'aboyer aucun ordre. Taïs avait ouvert les ailes, son épée pointée sur lui, et une vague violette avait émergé de la lame d'améthyste.

Le roi leva son bouclier. Le diamant noir absorba la lumière, mais la violence du coup le jeta au sol. Ses gardes se ruèrent aussitôt sur Taïs, maintenant entourée de ses propres soldats. Plus personne ne semblait se préoccuper des prisonniers. Les feux follets s'étaient regroupés dans un coin avec leurs blessés et regardaient le spectacle en se serrant les uns derrière les autres.

Aïnako était tombée à genoux dès que le garde qui lui tenait les bras l'avait lâchée. Elle entendit Éléssan crier son nom, mais ne se retourna pas. Elle était sûre qu'il savait, qu'il avait toujours su que son père était Fælkor, que

Taïs était sa grand-mère. Et, s'il savait pour son père, savait-il pour le père de son père ? Savait-il qu'elle était aussi la petite-fille de Melkor, et donc la nièce de Valrek ? Pourquoi le lui avait-il caché ? Pourquoi tout le monde avait-il toujours le réflexe de mentir sous prétexte que la vérité était trop dure à encaisser ?

— Courage, souffla une voix à son oreille tandis qu'une main l'aidait à se relever.

C'était le garde, celui qui l'avait sauvée la veille. Il avait lâché la poignée de son bouclier, qui restait attaché à son avant-bras par deux lanières de cuir, et posé une main sur ses menottes. Mais, moins fort qu'Erkor, il n'arriva pas à briser le diamant noir assez rapidement.

— Omkia ! l'appela un autre garde en s'approchant d'eux. À quoi tu joues ?

Pour toute réponse, l'interpellé lui allongea un coup de pied en pleine gorge. L'autre s'effondra. Mais ce geste ne passa pas inaperçu et Omkia étouffa un juron en voyant un deuxième garde foncer sur lui. Il frappa le nouveau venu d'un coup d'épée sur le bras qui le désarma et se retourna à temps pour voir le premier garde, celui qui avait reçu sa botte dans la gorge, se relever en titubant et retomber à genoux, comme prêt à se faire décapiter. L'épée noire d'Omkia fendit l'air, le garde sembla regretter sa décision de ne pas être resté étendu au sol, Aïnako ferma les yeux.

Le crissement strident de deux lames glissant l'une contre l'autre les lui fit rouvrir. Le deuxième garde, celui qu'Omkia avait désarmé, avait rattrapé son épée de l'autre main et paré le coup mortel que ce dernier s'apprêtait à porter à son camarade. Le garde à genoux en profita pour se relever et se ruer sur Omkia, qui contra chacun des coups de ses adversaires sans toutefois parvenir à se débarrasser d'eux.

Les mains encore attachées dans le dos, Aïnako pirouetta sur elle-même. Ses gestes manquaient de précision à cause du diamant noir qui engourdissait ses muscles, mais, par un colossal effort de volonté, elle parvint à faire fi de sa faiblesse le temps de venir en aide à son nouvel allié. Elle envoya un coup de pied sur les doigts armés d'un des deux gardes et son épée s'écrasa par terre. Mais, comme il avait toujours son bouclier et semblait déterminé à s'en servir pour l'assommer, elle ouvrit les ailes et, au risque de servir de gibier aux soldats de Taïs, s'éleva dans les airs afin de mieux le frapper au nez et au menton. Le garde recula. Aïnako frappa encore. Il chancela et elle frappa plus fort. Enfin, le garde tomba et ne bougea plus.

Elle revint au sol, le souffle court et les jambes chancelantes, près d'Omkia qui venait lui aussi de se défaire de son opposant et semblait s'attendre à ce que tous les autres gardes lui tombent dessus. Mais ils étaient beaucoup trop occupés avec les soldats de Taïs, et Taïs elle-même qui attaquait sans se soucier de leurs armes, indestructible. Il reprit donc sa tâche inachevée en mettant toute sa concentration à défaire les menottes d'Aïnako.

Quand elle les sentit enfin glisser le long de ses mains et que la brûlure maintenant familière annonçant le dégel de sa lumière se mit à irradier au creux de son ventre, elle se tourna vers lui pour le remercier. Un cri d'horreur lui échappa. L'elfe aux yeux jaunes qu'Éléssan avait vaincue un peu plus tôt s'était de toute évidence remise de sa défaite et fonçait sur eux. Elle tendit son épée de saphir et un torrent bleu s'abattit sur Omkia. Il leva son bouclier, mais la force de l'attaque le renversa. La soldate n'avait pas ralenti. Son épée visait la gorge du garde.

Aïnako sentait sa lumière qui s'éveillait, mais elle n'était pas encore assez forte pour l'arrêter. Elle n'eut pas le temps de penser. Elle sauta sur la soldate pour l'intercepter en plein vol. Les deux elfes firent une série de tonneaux dans les airs, puis sur le plancher de roche. Ce ne fut que lorsqu'elles s'arrêtèrent et que l'autre la fixa avec un air victorieux qu'Aïnako sentit la lame fichée dans sa poitrine et le sang qui s'écoulait dans son dos.

# 13

## La justice tombera

Un froid immense s'empara d'elle, qui figea son corps et son esprit. Un bourdonnement envahit ses oreilles, étouffant les cris qui fusaient de partout. Elle devina du mouvement au-dessus d'elle et tenta de reconnaître un visage. Tout semblait englué dans un épais brouillard noir. Elle sentit la lame se retirer, la douleur la submerger, puis tout disparut et le temps cessa d'exister.

Quand elle revint à elle, elle se demanda où elle était. Une forme floue était penchée au-dessus d'elle. Les contours de son visage lui rappelaient quelqu'un, mais les traits étaient trop confus. « C'est peut-être ma mère, pensa-t-elle. Ma mère qui a fini par mourir de son coma et qui vient me chercher ! » Sans qu'elle sache pourquoi, cette pensée la fit sourire. « Je suis vraiment en train de délirer. Les cheveux de ma mère sont plus foncés que ça, de la même couleur que les miens… Pas comme ceux-là ; ceux-là sont plus pâles, lumineux comme un miroir. La seule personne que je connais qui a des cheveux comme ça, c'est… »

— Taïs ! s'exclama-t-elle dans un murmure rauque.

Elle voulut se lever, courir, s'envoler, mais elle était clouée au sol. La lumière de Taïs la maintenait solidement en place et elle constata avec effroi qu'elle s'insinuait en elle par sa blessure encore béante. Elle sentit comme un liquide glacé parcourir le moindre de ses vaisseaux sanguins. C'était si froid que c'en était brûlant. Son sang brûlait, mais elle n'arrivait même pas à crier. Son corps s'engourdit, sa conscience s'alourdit, la lumière mauve qui l'enveloppait s'épaissit et s'embrasa, aveuglante. Malgré sa peur, elle ressentit soudain un étrange bien-être, comme si tous ses soucis s'évaporaient.

Une voix faible et comme étouffée par la distance s'infiltra doucement dans le silence qui l'enrobait. Elle n'y fit d'abord pas attention, mais le son se répétait, de plus en plus insistant : « Non… non… non… » Le ton était à la fois incrédule et atterré. Aïnako écarquilla les yeux et tenta de lever la tête pour voir d'où venait la voix. Le monde n'était qu'un nuage mauve au centre duquel elle flottait. Tout le reste, la grotte, le palais, les combats, Taïs, tout avait disparu.

— Non… non… non…

Plus le mot se répétait, plus Aïnako avait l'impression qu'il ne venait pas de l'extérieur, mais bien de l'intérieur de son nuage, de l'intérieur d'elle-même, et elle se rendit compte qu'elle n'était plus étendue sur la pierre froide de la place royale, mais debout sur un plancher tiède et duveteux. La lumière mauve était encore partout, mais elle arrivait maintenant à distinguer le monde qui l'entourait : une chambre rectangulaire, un lit dans un coin, un poêle à bois dans un autre, quatre fauteuils entourant une table basse, un elfe assis dans l'un de ces fauteuils. Il semblait dormir, mais… Qu'est-ce qui lui sortait de la poitrine ? Une épée ? La poignée d'une épée !

Elle sentit un cri se former à l'intérieur de sa cage thoracique et lui comprimer les poumons. Elle suffoquait. Était-ce sa blessure qui l'empêchait de respirer, ou les mains de Taïs qui faisaient pression sur son cœur ? Mais la reine de Shamguèn n'était nulle part en vue. Tous les muscles d'Aïnako étaient contractés. Elle tremblait.

Un rire s'éleva derrière elle. Elle se retourna et, par réflexe, sa main droite vola vers sa hanche gauche. Elle ne rencontra que le tissu soyeux de la robe qu'elle portait à la place de son uniforme et qu'elle ne se connaissait pas. Aucune arme ne pendait à sa ceinture.

À travers l'éclat mauve, une elfe très grande la fixait de ses yeux noirs ; son rire faisait tressauter ses épaules. La rage aveugla Aïnako et le mauve s'intensifia.

— Tu l'as tué ! cria-t-elle.

Mais ce n'était pas sa voix. C'était une voix qu'elle haïssait. L'autre se rapprocha et elle put enfin discerner ses traits. C'était une elfe très belle. Son visage délicat était parfait et elle avait de longs cheveux très pâles qui reflétaient la lumière comme du papier glacé. Aïnako ne l'avait jamais vue. Pourtant, elle la connaissait, elle en était persuadée.

Le sourire de la grande elfe s'élargit.

— Non, Taïs. C'est toi qui l'as tué. C'est ton épée, non ? Et tout le monde sait que je suis en voyage de noces.

Elle rit. Elle avait le même rire que Kaï. Elle ajouta avec une moue agacée :

— Éteins-moi donc cette lumière ! C'est énervant, à la fin. Tu n'as donc pas encore appris à dompter tes émotions ?

Aïnako sentit la rage de Taïs décupler pendant qu'elle se forçait à endiguer sa lumière. Mais elle ne le faisait pas par contrainte ou par soumission ; elle voulait conserver son énergie pour attaquer ou se défendre.

— Quelqu'un t'a vue. Il faut que quelqu'un t'ait vue. Les gardes, les…

— Que tu es naïve ! C'est beau, de voir ça. C'en est presque émouvant. Et dire que c'est toi, la grande sœur. Je sais me déguiser, Taïs. Personne ne m'a reconnue. Ha ! ha ! Ma pauvre sœur, il n'y a pas de porte de sortie. Tu sais que le conseil mange dans ma main et préférerait mille fois que je monte sur le trône à ta place. Et maintenant, avec ce meurtre sur les épaules…

— Mais c'est toi qui l'as tué !

— Oh ! et comment comptes-tu le prouver ? demanda l'autre en posant une main gantée sur le pommeau de son épée. Mon scénario est tout prêt dans ma tête. Je te ferai remarquer que c'est toi qui as demandé à notre cher père de venir te voir. Cette idée, aussi, de vouloir te mêler aux gens du peuple !

Aïnako avait déjà remarqué que la chambre dans laquelle elle se trouvait était identique à celles de Naïké et d'Éléssan, au vingt-quatrième étage de la tour des militaires, à Lilibé. Elle vit par les yeux de Taïs que la porte et les fenêtres étaient fermées, hermétiques. Son regard se posa sur l'elfe qui semblait dormir avec une épée dans le corps. Elle sentit des larmes emplir ses yeux et couler sur ses joues. Taïs réfléchissait à toute allure. Elle se rappelait que certains gnomes pouvaient lire dans la pierre, qu'il leur suffisait de toucher un objet en pierre pour en extirper les souvenirs, tout ce que les personnes ayant touché la pierre avant eux avaient vécu. Mais ni elle, ni sa sœur, ni son père ne portaient de pierre.

Restait la lame d'améthyste de son épée. Son père avait-il eu le temps de voir le visage de Tsamiel entre le moment où la lame avait pénétré son cœur et celui où sa conscience s'était éteinte ? Sûrement pas. Tsamiel n'aurait jamais commis cette erreur. Taïs était faite comme un rat. Personne ne croirait que c'était sa sœur, la coupable, Tsamiel la douce, Tsamiel la parfaite. Tandis que Taïs montait toujours sur ses grands chevaux pour un oui ou pour un non et n'hésitait jamais à engueuler comme du poisson pourri un subalterne trop lent ou maladroit, sa cadette se montrait constamment aimable et souriante envers tout le monde. Sans compter que Taïs ne s'était jamais entendue avec son père. Leurs disputes avaient souvent fait trembler tout le palais.

— Je vois, dit-elle. Félicitations, te voilà enfin reine. Mais tu ne penses quand même pas que je vais gentiment me laisser accuser d'un meurtre que je n'ai pas commis pendant que tu te prélasses sur mon trône ! Je suis peut-être désarmée, mais j'ai toujours été la plus rapide. Et, comme tu l'as dit toi-même, tu n'es pas censée être ici. Si une seule personne te voit, tout ton plan s'écroule. Au revoir, Tsamiel !

Aïnako sentit un courant électrique lui traverser le bras tandis que la main de Taïs crachait une vague violette qui noya toute la pièce. Sans détourner les yeux de la silhouette floue de Tsamiel, elle ouvrit la fenêtre. Le soleil se mêla à la lumière mauve qui jaillissait toujours aussi violemment de sa paume tendue. Taïs ouvrit les ailes et s'élança dans le ciel bleu de Lilibé. Elle entendit la meurtrière lui crier qu'elle la poursuivrait où qu'elle allât, mais sa sœur ne prendrait jamais le risque de se faire voir à Lilibé alors qu'elle était censée être en voyage. Elle préférerait repartir discrètement et ne revenir qu'une fois le corps de leur père découvert. Elle pourrait alors l'accuser en toute impunité et envoyer l'armée au grand complet à ses trousses.

Taïs volait si vite que ses ailes la brûlaient. Les larmes inondaient encore ses yeux, mais le vent de sa course les chassait à mesure. L'ambiance paisible de la cité frappa Aïnako. Elle était tellement chavirée que le calme qui régnait autour d'elle lui parut presque déplacé. Tout en suivant les pensées de Taïs, elle prenait conscience de ce que cette vision signifiait. Elle avait dit vrai. Elle n'avait pas tué son père. C'était Tsamiel qui avait tout manigancé.

La vision s'estompa et Aïnako réintégra sa propre conscience. Elle était encore allongée par terre, ailes ouvertes contre le roc, et les mains de Taïs déversaient encore leur lumière à l'intérieur de son corps. Elle était abasourdie. Elle aurait voulu se lever et crier qu'elle savait, mais elle était toujours paralysée. Elle ressentait encore la rage et la douleur de Taïs, de la jeune Taïs d'avant Shamguèn, cette Taïs encore innocente qui n'avait jamais tué personne. Aïnako la détestait toujours autant, mais elle ne pouvait s'empêcher de comprendre sa colère. Qui n'aurait pas souhaité se venger devant une telle injustice ?

L'énergie de Taïs sembla se transformer. Elle devint plus diffuse, comme si elle s'éparpillait. Mais son éclat ne faiblit pas. Au contraire, elle brillait plus que jamais. De mauve, elle devint bleue, puis verte, puis jaune. Un prodigieux sentiment de puissance envahit Aïnako, tandis que toutes les couleurs de l'arc-en-ciel se mêlaient en elle pour rejaillir en gerbes d'étincelles par tous les pores de sa peau.

Quand elle sentit que plus personne ne la touchait et que toute lumière étrangère l'avait quittée, elle s'assit à demi en s'appuyant sur ses coudes. Des flammèches multicolores flottaient dans l'air de la grotte, virevoltant autour des combattants qui ne bougeaient plus, comme pétrifiés, et qui ne pouvaient que contempler ces curieuses étoiles de couleur.

Taïs, qui était agenouillée à ses côtés et fixait ses propres paumes tremblantes, leva les yeux en la sentant bouger. Elle regarda autour d'elle d'un air égaré, comme si elle n'arrivait pas à croire ce qui venait de se passer. Ses yeux se posèrent sur les morts et les blessés étendus par terre. Aïnako suivit son regard et ne put retenir un cri de surprise en voyant que les corps de certains elfes se couvraient de poussière de lumière, bleue pour l'un, verte pour un autre, jaune pour un troisième…

« Ils récupèrent leur lumière », réalisa-t-elle, stupéfaite. C'était donc ça qu'elle avait senti. Quand elle avait cru que l'énergie de Taïs se transformait, c'était en fait les lumières des autres, toutes celles que Taïs avait volées, qui étaient sorties de ses mains et avaient traversé son propre corps inerte avant d'aller s'éparpiller dans l'air de la grotte. À voir l'expression de la reine, elle devina que ce n'était pas intentionnel.

Elle remarqua alors deux silhouettes couchées côte à côte, à moitié cachées derrière le palais de verre, l'une fuchsia, l'autre rouge.

Naïké et Olian. À cette vue, son cœur bondit dans sa poitrine, ce qui lui fit prendre conscience qu'elle était guérie. Taïs l'avait guérie. Elle ne voulait pas la tuer. Aïnako eut la soudaine certitude que Taïs ferait n'importe quoi pour la fille de son fils, que, tout ce qu'elle voulait, c'était que la vérité éclate enfin au grand jour.

Les quelques soldats de Shamguèn encore en état de se battre se précipitèrent, épée en main, sur les elfes qui commençaient à gémir et à remuer dans leur enveloppe de lumière. Aïnako bondit sur ses pieds.

— Non! hurla-t-elle avec une force dont elle ne se serait jamais crue capable.

Tous les regards se tournèrent vers elle et les soldats s'arrêtèrent une seconde, le temps de réaliser que l'ordre ne venait pas de leur reine. Aïnako planta ses yeux dans ceux de Taïs.

— Dis-leur d'arrêter et je te jure que je t'aide à rétablir la vérité.

Sans la quitter du regard, Taïs fit ce qu'elle lui demandait. Les soldats obéirent, mais se placèrent de façon à pouvoir abattre n'importe lequel de ces ressuscités au moindre geste suspect.

Aïnako se rassit devant celle qu'elle haïssait de toutes les fibres de son être et qui venait pourtant de la ramener à la vie. Elle regarda autour d'elle. Tous les yeux étaient tournés dans leur direction, braqués sur elle ou sur Taïs, anxieux, comme s'ils attendaient quelque chose, une conclusion, une fin à ce mauvais rêve. Presque tous les gnomes, alliés et ennemis, étaient maintenant prisonniers. Les autres semblaient trop désorientés pour poursuivre les combats.

Elle vit Karask et Varénia agenouillés près d'un gnome évanoui ou mort qu'elle reconnut comme étant Erkor. Elle vit aussi Omkia, encore debout, mais désarmé. Une large coupure se refermait lentement sur sa joue et le sang avait coulé jusque dans son cou en recouvrant à moitié le tatouage noir qu'il portait sur la jugulaire. Valrek était resté là où la lumière de Taïs l'avait projeté. Assis au sol, le crâne et les épaules maculés de sang, il observait les menottes qui lui enserraient les poignets comme s'il ne savait pas ce que c'était. Handur et Goneïa, l'air patibulaire, l'uniforme déchiré et poisseux, pointaient chacun une épée sur lui.

Iriel se tenait seul au milieu d'une zone jonchée de corps. Le sol était noir de sang. De la sueur dégouttait de ses cheveux en bataille et coulait le long de son cou. Le regard qu'il posa sur elle la mit mal à l'aise. Elle avait l'impression qu'il cherchait à la transpercer de ses prunelles sans fond. Elle détourna les yeux.

Il y avait tant de blessés, tant de sang, partout où son regard se posait ! Tant de souffrance ! Tant de mort !

— Pourquoi m'avoir montré cette scène ? demanda-t-elle en se tournant vers Taïs. Cette scène, avec Tsamiel. Pourquoi à moi ? Pourquoi maintenant ?

Taïs la regarda longtemps, comme si elle n'était pas sûre d'avoir bien entendu. L'expression tendue qui durcissait ses traits une seconde plus tôt avait cédé la place à une espèce d'exaltation réprimée, presque enfantine.

— Tu as vu Tsamiel ? Je ne croyais pas vraiment que ça marcherait. Je voulais... J'espérais... En te guérissant, pendant que ma lumière circulait en toi, je pensais à cette scène, je voulais que tu la voies. Je voulais que tu saches que je n'avais pas menti. C'est vrai ? Tu as vu Tsamiel ?

Aïnako hocha la tête.

— Je l'ai vue avouer le meurtre de votre père. Mais pourquoi est-ce que tu n'as jamais essayé avec quelqu'un d'autre ? Pourquoi n'as-tu jamais montré cette scène à quelqu'un du conseil royal ou du palais ou... ou juste à quelqu'un qui aurait pu faire connaître la vérité à tout le monde ? Ça aurait permis d'éviter tellement de malheurs, tellement de souffrances, tellement de...

Elle ne savait plus quoi ajouter. Elle se sentait à la fois abattue et révoltée. Si la vision qu'elle venait d'avoir avait un peu ébranlé sa haine envers Taïs, le fait qu'elle ait justement pu l'avoir, cette vision, la rendait furieuse. Si la vérité avait pu être rétablie dès le début, la guerre aurait probablement pu être évitée et elle-même ne serait pas assise en tailleur sur un plancher de roc froid, couverte de sang de la tête aux pieds, en train de discuter avec celle qui avait presque tué sa mère.

— Tu crois que c'est facile ? Il ne suffit pas de laisser couler sa lumière à l'intérieur du corps de quelqu'un pour pouvoir lui montrer un souvenir aussi précis. Il faut la pousser de toutes ses forces sans jamais faiblir. Tu as vu ce qui s'est passé ? J'ai perdu toutes les lumières que j'avais prises. Je sais que je n'avais aucun droit sur elles, mais j'aurais pu finir par perdre la mienne, si j'avais continué à la projeter avec autant d'acharnement à l'intérieur de ta blessure.

— Tu aurais quand même pu essayer.

— Parce que tu crois qu'un seul habitant d'Élimbrel aurait accepté de me rendre ce service ? On devient beaucoup trop vulnérable quand on accepte de s'ouvrir ainsi, de recevoir la lumière de quelqu'un d'autre à l'intérieur de soi. Et tout le monde n'est pas aussi réceptif. Même si un membre du conseil avait accepté, il n'aurait peut-être rien vu et m'aurait immédiatement fait jeter en prison… ou exécuter.

Aïnako ne pouvait arrêter d'entortiller de longues mèches de cheveux autour de ses doigts et cela créait de minuscules nœuds qu'elle arrachait sans vraiment s'en rendre compte, trop absorbée par ses pensées. Elle était donc la seule à savoir, la seule à avoir vu. Elle se mit à penser à son père, qui devait savoir lui aussi, qui devait connaître toute la vie de Taïs. Mais il était mort, maintenant, mort avant même d'avoir connu sa fille.

Aïnako cessa de se déraciner les cheveux et fixa Taïs dans les yeux.

— Valrek a dit que tu avais forcé ma mère et ton fils à se marier contre leur gré. Pourquoi ?

Le visage de Taïs se troubla et ses yeux semblèrent se perdre.

— Je n'ai forcé personne. Ta mère a accepté en toute connaissance de cause. Quant à Fælkor, il était d'accord. Même que c'était son idée. Nous en avions tous les deux assez de cette guerre qui n'en finissait plus et, plus que tout, nous en avions assez de servir de marionnettes à ce fourbe.

Elle braqua un regard noir sur Valrek. Le roi gnome ouvrit la bouche pour répliquer, mais la referma quand un soldat de Shamguèn fit un pas dans sa direction.

— Mais ça, c'était avant que je réalise que la moitié de ses soldats souhaitaient également sa mort. Depuis toujours, il n'aspire qu'à une chose, éliminer tous les elfes de la face du globe. Quand mon fils a découvert qu'il n'attendait que le bon moment pour envahir Shamguèn et en tuer tous les habitants, j'ai proposé de le devancer et d'attaquer Okmern. C'est Fælkor qui m'a fait comprendre que nous n'y arriverions pas seuls, qu'il nous fallait un allié.

— Élimbrel! dit Aïnako. Valrek en avait aussi après Élimbrel et vous vous êtes dit qu'il n'y a rien comme un ennemi commun pour rapprocher deux adversaires.

Taïs acquiesça, les yeux toujours luisants et lointains.

— La seule façon de vaincre Okmern était d'unir nos deux royaumes, Shamguèn et Élimbrel, mais Fælkor était convaincu qu'aucun habitant de Shamguèn ou d'Élimbrel n'accepterait une alliance si le pouvoir restait divisé. Notre plan, c'était qu'il règne avec ta mère sur nos deux peuples.

— C'était donc ça, le marché que tu voulais me proposer, tout à l'heure? Tu croyais que j'étais la nouvelle reine d'Élimbrel et tu voulais que je t'aide à combattre Okmern?

Taïs eut un rire amer, mais pas comme si elle riait d'Aïnako, plutôt comme si elle se trouvait elle-même ridicule.

— Pas tout à fait. C'est avec ta mère, que je voulais le passer, ce marché.

— Ma mère ?

— Je lui aurais redonné sa lumière et je lui aurais offert ta vie en échange de son aide. C'est même pour ça que je lui avais volé sa lumière ; je voulais qu'elle voie à quel point j'étais plus puissante qu'elle, qu'elle se sente coupable de ne pas avoir été là pour te protéger, qu'elle sache que, le seul moyen de te revoir vivante, c'était de se soumettre à ma volonté.

Elle fit une pause et secoua la tête.

— Quant à toi, tu aurais eu le choix entre jouer les otages modèles ou les légumes privés de lumière. J'ai rêvé tellement de fois de te tuer ! Et maintenant, si tu savais comme je le regrette ! C'est à ta mère, que j'en voulais. Je voulais qu'elle souffre autant que moi, qu'elle sache ce que c'est que de perdre ce à quoi on tient le plus, la seule chose à laquelle on tient. Et j'ai essayé, tu sais ! J'ai essayé de te tuer plusieurs fois...

— Tu as essayé de me tuer ? Alors que j'étais encore humaine ?

— Mais tu étais trop bien protégée. Tes deux gardes du corps faisaient bien leur boulot.

Si bien qu'eux-mêmes ne s'en sont jamais aperçus. J'ai dit que j'avais essayé de te tuer, mais en réalité ces tentatives n'ont jamais dépassé le stade de projets. Chaque fois, j'ai dû abandonner parce que je ne voyais pas comment les mettre à exécution ou comment m'en sortir vivante après.

Aïnako ne savait pas pourquoi ces révélations la choquaient autant. Peut-être parce qu'elle n'avait jamais eu conscience de ces tentatives de meurtre, qu'elle avait vécu toute sa vie dans l'ignorance, petite fille naïve et aveugle. Peut-être parce que, depuis la fin de l'année scolaire, elle ne cessait de découvrir qu'elle n'avait pas autant d'emprise sur sa vie qu'elle l'avait cru.

Taïs baissa la tête. Ses cheveux argentés reflétaient les étincelles multicolores qui papillonnaient dans la grotte. Quand elle reprit la parole, sa voix avait retrouvé sa fragilité de clochette.

— Mais tout cela n'a plus d'importance. Tu es tout ce qu'il me reste de mon fils.

Elle releva la tête et planta ses yeux dans ceux de sa petite-fille.

— Ce que je veux, maintenant, c'est que tu règnes sur Shamguèn avec moi, comme mon fils le faisait avant de mourir. Je veux que tu connaisses le royaume de ton père.

Aïnako resta un moment interloquée.

— Tu veux que je règne avec toi ? Sur Shamguèn ? Et... tu viens de décider ça ? Sur un coup de tête ?

— Avant sa mort, mon fils régnait sur Shamguèn au même titre que moi. Il m'apportait la sagesse qui me fait trop souvent défaut. Ce que je veux, c'est que tu m'aides à redevenir celle que j'étais avant sa mort. Je veux que tu me redonnes une raison de vouloir ramener la paix.

Elle fixa Aïnako comme si elle cherchait à pénétrer son âme et ajouta :

— Et tu sais aussi bien que moi que le peuple, celui de Shamguèn comme celui d'Élimbrel, a besoin d'une garantie. Rien ne garantira la paix davantage que ta présence à mes côtés. Le peuple de Shamguèn saura que jamais Silmaëlle n'attaquera le royaume de sa fille, et le peuple d'Élimbrel saura que tu ne me laisseras jamais attaquer le royaume de ta mère.

— Qu'est-ce qui te fait croire que je pourrais accepter, alors que tu as tué ou tenté de tuer tous mes amis ?

— Ce ne sont pas tes amis, protesta Taïs. Ils t'ont menti, manipulée pour que tu accomplisses leurs desseins. Ils voulaient que tu me tues sans même savoir que je suis ta grand-mère. Pour eux, tu n'étais rien d'autre qu'une mission. Ils ne faisaient qu'obéir aux ordres d'une reine qui elle-même ne pensait qu'à ses propres intérêts. Ne vois-tu pas que ta mère a tout manigancé depuis le début ? Ce n'est pas seulement pour te protéger, qu'elle t'a envoyée vivre parmi les hommes. C'était pour te tenir à l'écart et mieux te brandir comme ultime outil de vengeance, l'unique enfant du fils unique, censée me faire capituler au dernier moment. Ne vois-tu pas que nous sommes pareilles ? Nous avons toutes deux souffert des mensonges de ceux qui étaient censés nous aimer. Joins-toi à moi et tu seras traitée avec tous les égards dus à une reine.

Aïnako ne répondit pas tout de suite. Elle avait besoin d'un peu de temps pour analyser les sentiments qui se bousculaient en elle. Elle ne voulait pas se laisser enjôler par Taïs, mais chacune de ses paroles sur sa mère, sur Éléssan ou sur Naïké avait trouvé écho dans ses propres pensées. Sa vie n'avait été qu'un mensonge. Elle n'était qu'une mission. Le seul don qu'elle possédait, c'était l'ADN qu'elle partageait avec Taïs. Sa mère avait-elle prévu que son ennemie lui demanderait de rester avec elle pour consolider la paix ? L'avait-elle souhaité ?

Un cri s'éleva derrière elle :

— Non !

La voix d'Éléssan ne lui avait jamais paru aussi pleine de détresse. Elle se tourna vers lui. Il commençait à dire son nom quand le soldat qui se trouvait dans son dos resserra les doigts autour de son épaule blessée qui ne pouvait guérir à cause des menottes de diamant noir. Il grimaça. Aïnako essaya de ne pas se laisser émouvoir et reposa les yeux sur Taïs.

— Si je reste ici, avec toi, tu me promets qu'aucun mal ne sera fait aux elfes d'Élimbrel et aux gnomes qui nous ont aidés ?

— Non ! cria une autre voix.

Cette fois, c'était Naïké. Des étincelles fuchsia dansaient encore sur sa peau verte et elle essayait de se relever, mais elle trébucha et retomba près d'Olian qui n'avait toujours pas repris connaissance. Aïnako serra les dents en sentant les larmes lui monter aux yeux.

— Tu as ma parole, promit Taïs. Aucun mal ne leur sera fait tant qu'ils n'ouvriront pas eux-mêmes les hostilités.

Aïnako hocha la tête sans rien dire. Elle essayait de réfléchir, mais ses pensées s'emmêlaient et s'embrouillaient. Taïs avait raison, la guerre ne s'arrêterait jamais si les deux royaumes ne trouvaient pas un terrain d'entente, un compromis, une garantie.

Taïs disait que Fælkor était d'accord pour épouser Silmaëlle, mais Aïnako se rappelait le désordre qui régnait dans son esprit quand elle s'était retrouvée dans ses souvenirs, quand la fille aux cheveux roses l'avait découvert, couché dans les feuilles.

— Qui est Païlia ? demanda-t-elle.

Taïs fronça ses fins sourcils argentés.

— Païlia ? C'était une… amie de mon fils. Elle a disparu, maintenant. Elle est partie après la mort de Fælkor. C'est moi qui les avais présentés l'un à l'autre.

— Ensuite, c'est toi qui a voulu qu'il épouse ma mère et ça lui a coûté la vie, ne put s'empêcher d'ajouter Aïnako.

Le visage de Taïs s'assombrit.

— J'aimais mon fils plus que tout. J'étais convaincue que Silmaëlle finirait par l'aimer, elle aussi. Mais elle a violé notre accord. Elle m'a trahie et trahi Fælkor comme elle t'a trahie.

Aïnako se rappela la seule vision qu'elle avait eue de ses deux parents ensemble, dans les feuilles mortes. Sa mère avait-elle vraiment prévu avoir un enfant du fils de Taïs uniquement pour pouvoir se venger d'elle près de vingt ans plus tard ? Elle revit aussi la scène où Silmaëlle avait quitté Iriel et comprit qu'elle l'avait fait pour mettre fin à la guerre. Elle avait trop souffert, ce jour-là. Même le désir de vengeance le plus puissant ne pouvait justifier un tel sacrifice.

— Je ne crois pas que ma mère ait voulu briser sa promesse. Elle désirait vraiment la paix.

— Alors, pourquoi l'avoir tué? Pourquoi Silmaëlle a-t-elle tué mon fils?

— Ce n'est pas elle. C'est cette fille, Païlia.

— Tu te souviens de la mort de mon fils? Comment est-ce possible? À moins que... comme lui, comme Melkor, comme les gnomes, tu n'aies pas de mémoire parentale; que, tout ce que tu connais de ta famille, tu l'apprennes par les pierres.

Aïnako fronça les sourcils. Elle essayait de se souvenir. L'épée de sa mère, le pendentif de diamant en forme de larme, la perle d'agate grise, la pierre même de la grotte et des tunnels... Chaque fois qu'elle avait eu une vision, elle avait touché une pierre, une pierre qu'un de ses parents avait touchée avant elle. C'était donc comme ça que les gnomes captaient les souvenirs des pierres, par les yeux de ceux qui y avaient touché! Mais pourquoi se souvenait-elle seulement de la vie de ses parents? Était-ce son sang d'elfe qui l'empêchait d'avoir accès aux souvenirs des autres?

La voix de Taïs la tira de ses pensées.

— Qu'as-tu vu? Comment est-ce arrivé?

Aïnako posa une main sur son cœur, à l'endroit où son père avait été touché et où sa propre blessure venait de se refermer.

— J'ai vu celle qu'il appelait Païlia lui transpercer le cœur de son épée. Je crois que c'était un accident. Elle ne voulait pas le tuer.

Elle avala sa salive et ajouta faiblement :

— Tu as donc accusé ma mère pour rien.

Un long silence s'installa. Taïs avait blêmi. Sa respiration s'était accélérée, ses narines frémissaient et ses yeux brillaient d'un mélange de colère et de terreur. Elle semblait sur le point de traiter sa petite-fille de menteuse et d'ordonner sa mise à mort immédiate, mais elle se contenta de pincer les lèvres et de rester muette. Aïnako aussi restait muette. Elle essayait de rassembler ses esprits. Comme malgré elle, elle cherchait un moyen de s'esquiver, un prétexte pour ne pas avoir à faire ce qu'elle était pourtant la seule à pouvoir faire. Car, à cet instant précis, personne d'autre qu'elle n'avait le pouvoir de faire cesser la guerre. Si elle ne saisissait pas cette chance maintenant, elle ne se le pardonnerait jamais. Si elle ne se décidait pas maintenant, elle ne se déciderait jamais.

— C'est d'accord, finit-elle par dire très rapidement. Mais, si tu veux que je reste avec toi, tu dois d'abord te débarrasser du pistil et des deux diamants noirs.

# 14

## Deux perles d'ombre

— Je mourrai, objecta Taïs. Je peux retirer les diamants, mais pas le pistil. Grâce à lui, je guéris presque instantanément, même des blessures les plus graves, mais sans lui je ne survivrai jamais à l'opération.

Aïnako avait prévu que Taïs n'accepterait pas tout de suite. Ce qu'elle n'avait pas prévu, c'était ce qu'elle lui dirait pour la convaincre.

— Même si les meilleurs guérisseurs d'Élimbrel t'assistent ? demanda-t-elle en regrettant aussitôt sa question.

Elle n'aurait pas dû demander, mais exiger que des guérisseurs, et donc des soldats d'Élimbrel, soient présents, autant pour soigner Taïs que pour la protéger, elle, si Taïs ou ses soldats décidaient de l'attaquer.

La grand-mère et la petite-fille semblaient se mesurer du regard. Aïnako avait toute la peine du monde à ne pas détourner les yeux, mais elle voulait se montrer forte devant Taïs. La reine devait se débarrasser des diamants et du pistil. Si elle ne le faisait pas, aucun habitant d'Élimbrel n'accepterait la paix et la guerre reprendrait. Pour avoir vécu quelques minutes dans sa tête, Aïnako était certaine que Taïs n'ignorait rien de cette réalité, mais qu'elle hésitait à se départir de son pouvoir.

En revanche, elle avait la certitude que sa grand-mère n'était pas entièrement mauvaise. Il y avait de la compassion et de l'honnêteté cachées derrière la rancœur et la colère. Elle avait réellement souffert quand elle avait trouvé son père mort et sa sœur debout à ses côtés qui riait doucement de sa victoire. Et elle était sincère quand elle parlait de son fils, quand elle disait en avoir assez de la guerre.

Mais, si elle ne se débarrassait pas du pistil et des diamants, Aïnako ne pourrait jamais se joindre à elle. Pour que les deux royaumes puissent vivre en paix, il ne devait pas subsister d'inégalités entre eux. Si Taïs refusait cette condition, ce serait comme une nouvelle déclaration de guerre et cette fois elle ne pourrait pas compter sur l'aide des gnomes.

La reine sembla en arriver à la même conclusion, car elle esquissa une sorte de rictus ironique et dit en posant une main sur son ventre :

— Si les meilleurs guérisseurs de Shamguèn m'assistent, je pourrai survivre.

Son regard était à la fois las et résolu. Aïnako réprima un soupir de soulagement et essaya de se montrer sûre d'elle, comme si elle passait ce genre d'entente tous les jours en énonçant elle aussi ses exigences. Elle voulait qu'Éléssan soit là. Avec son épée. Et aussi Varénia avec une épée de diamant noir. Elle était encore un peu fâchée contre Éléssan parce qu'il lui avait caché l'identité de son père, mais elle tenait à ce qu'il soit là si jamais Taïs changeait d'avis et décidait que, en fin de compte, elle préférait le rôle de reine diabolique et toute-puissante à celui de souveraine associée ou de grand-mère.

Toujours assise devant elle, Taïs ouvrit les ailes pour se relever. Aïnako l'imita, inquiète de voir ce qu'elle s'apprêtait à faire. Elle ne fit qu'ordonner qu'on lui amène le commandant d'Élimbrel et la princesse d'Okmern. Quelques secondes plus tard, les menottes d'Éléssan glissaient jusqu'au sol, suivies de près par celles de Varénia.

Éléssan ferma les yeux, le temps que sa lumière reprenne vie et afflue jusqu'à sa blessure qui commença aussitôt à se refermer. Il se tourna vers Aïnako et lui adressa un sourire discret qu'elle lui rendit pendant qu'un soldat lui remettait son épée de topaze.

— Je commence par les diamants, dit Taïs d'un ton autoritaire, comme si elle se donnait un ordre à elle-même.

« Maintenant ? » faillit s'écrier Aïnako, qui trouvait soudain que tout allait trop vite. Taïs voulait-elle prouver sa bonne foi à ses ennemis, ou voulait-elle se dépêcher avant que son courage ou sa raison ne l'abandonnent ?

Tandis qu'Éléssan et Varénia se raidissaient pour faire face aux quatre soldats qu'elle avait désignés pour la protéger, Taïs se rassit sur ses talons et replia sa tunique blanche de façon à découvrir son nombril. Elle prit son épée. Un silence fébrile avait envahi la grotte. Les étincelles multicolores qui n'avaient pu rejoindre les elfes à qui elles appartenaient continuaient à danser au plafond, projetant sur les parois un décor de fête incongru.

Taïs inspira longuement, ferma les yeux et appuya la pointe de sa lame d'améthyste sur son ventre. Aïnako détourna la tête et ne put retenir un frisson. Quelques secondes plus tard, deux tintements ténus faisaient à peine vibrer la pierre sous ses pieds. Les diamants, deux perles d'ombre à peine plus grosses que des larmes, roulèrent sur le sol sans rencontrer le moindre obstacle, les soldats qui se trouvaient sur leur trajectoire n'osant ni les ramasser ni les arrêter.

La peau vert pâle de Taïs était striée de traînées rouges, mais aucune lésion n'était visible. Sa chair s'était déjà refermée. Aïnako aurait voulu dire quelque chose, mais une incompréhensible envie d'éclater en sanglots paralysait ses cordes vocales.

Sans que Taïs ait besoin d'ouvrir la bouche, deux de ses quatre soldats s'agenouillèrent à ses côtés. Les deux autres restèrent debout, visage impassible et épée levée. Taïs ne bougeait pas, comme prise de doute. Un tressaillement agita la main qui tenait mollement son épée sur ses genoux. Les yeux d'Aïnako remontèrent lentement jusqu'aux siens.

Pendant un instant, ce fut comme si Taïs était redevenue celle qu'elle avait été avant la trahison de Tsamiel, celle qu'Aïnako avait connue le temps d'une vision, celle que la haine n'avait pas encore rongée. Il y avait de la peur dans ses yeux, mais cela ne dura qu'une seconde. L'instant d'après, elle avait retrouvé son masque de glace. Les yeux toujours rivés à ceux d'Aïnako, elle dirigea la pointe de sa lame vers l'endroit d'où partaient les coulées rouges.

Dès qu'elle eut retiré de ses entrailles le minuscule pistil que le temps n'avait ni altéré ni terni et qui rayonnait encore de mille feux, tapissant l'immense grotte de blanc, elle s'écroula. Les deux guérisseurs avaient déjà posé leurs paumes sur sa blessure pendant qu'Éléssan et Varénia plissaient les yeux dans la lumière éblouissante pour s'assurer que les soldats ennemis n'en profitaient pas pour attaquer les leurs.

Aïnako s'empara du pistil. Elle le sentait entre son pouce et son index, tiède et horriblement visqueux, mais ne pouvait le voir tant sa lumière était vive. Elle le rangea avec la bille d'agate grise dans la poche de son pantalon qui se mit à scintiller comme une étoile, puis frémit de dégoût en essuyant ses doigts sur sa cuisse.

La guérison de Taïs fut longue. Même quand les guérisseurs se relevèrent, elle resta étendue au sol.

— Son corps doit récupérer, dit l'un d'eux. Elle se réveillera dans quelques minutes.

Aïnako détacha ses yeux du corps maigre de sa grand-mère et regarda Éléssan. Comme s'il avait senti son regard, il se tourna vers elle. Le côté droit de son t-shirt commençait à raidir à mesure que le sang séchait, mais toute sa fatigue semblait s'être envolée depuis qu'il n'avait plus ses menottes et que sa blessure était guérie. Aïnako était contente qu'il soit là, debout à ses côtés, solide et rassurant, mais elle ne pouvait arrêter de se dire qu'il l'avait trahie, qu'il s'était servi d'elle.

— Pourquoi ne m'as-tu rien dit ? demanda-t-elle.

Elle détesta aussitôt le ton aigrelet qu'avait pris sa voix. Éléssan ouvrit la bouche. Aucun son n'en sortit. Son désarroi était tellement palpable qu'elle dut faire appel à toute sa volonté pour conserver l'aplomb qu'elle désirait se donner.

— Tu voulais que je la tue sans remords ? reprit-elle. Tu voulais que je la tue sans savoir qu'elle est la mère de mon père, ou même qui est mon père ?

— Aïnako… je croyais… je n'étais pas sûr… Ta mère ne m'a jamais dit qui était ton père, même si…

— Même si tu t'en doutais.

— Même si je m'en doutais. J'aurais dû t'en parler, mais je ne voulais pas t'alarmer pour rien si je m'étais trompé… Pardonne-moi, pardonne-moi, Novembre.

Aïnako tressaillit en entendant son nom humain. Elle l'avait presque oublié. Elle dut se retenir de toutes ses forces pour ne pas attraper la main qu'il lui tendait et qui portait encore des traces de sang là où les menottes lui avaient mordu les poignets.

— Je croyais que ta mère avait consciemment choisi de bloquer ta mémoire, continua-t-il en laissant retomber sa main. Elle voulait sans doute te cacher qu'elle avait accepté d'épouser Fælkor uniquement pour sceller l'alliance avec Shamguèn. Si je ne t'en ai pas parlé, c'était pour qu'elle t'explique elle-même les raisons de sa décision. Je n'ai jamais su qu'il était ton père. À ma connaissance, ils ne s'étaient vus que lors des rencontres officielles entre Shamguèn et Élimbrel. J'ignorais qu'il avait du sang gnome, mais Silmaëlle m'avait déjà dit qu'il avait des amis en Okmern et qu'il rendait même parfois visite à Melkor, quand il était roi. Je n'avais jamais accordé d'importance à ce détail, mais, quand j'ai appris que tu voyais dans le noir, j'ai commencé à me poser des questions. Je croyais réellement que ton pouvoir, c'était ta lumière. J'étais persuadé que ta mère avait deviné à quel point elle était puissante. Je n'avais pas compris que ce n'était pas ta force, mais ton lien avec Fælkor qui te permettrait de faire cesser la guerre. J'ignore pourquoi Silmaëlle n'en a parlé à personne. Elle-même a dû le comprendre trop tard, ou elle n'arrivait pas à prédire la réaction de Taïs et elle voulait lui en parler avant pour s'assurer qu'elle ne te ferait pas de mal. Mais tu dois me croire, Aïnako, je n'ai jamais voulu me servir de toi. Si j'avais été certain de l'identité de ton père, je te l'aurais dit. Tu sais que je te l'aurais dit !

— Je ne sais pas. Je ne sais plus rien.

— Aïnako, Novembre, tu es ma famille, ma petite sœur…

— Une petite sœur encombrante et indigne de confiance, oui, fit la voix enrouée de Taïs à leurs pieds.

Elle grimaça et se releva en s'efforçant de ne pas tituber.

— Acceptes-tu de rester avec moi, maintenant ?

Aïnako ne répondit pas tout de suite. Elle ferma les yeux pour ne plus voir la douleur sur le visage d'Éléssan et l'espoir presque vorace sur celui de Taïs. Le silence était total. Elle attendit encore un peu pour essayer de calmer les battements de son cœur et murmura faiblement :

— J'accepte.

Toute chancelante qu'elle fût, sa voix se répandit dans toute la grotte. Elle rouvrit les yeux. Ceux de Taïs s'étaient mis à briller, mais elle ne dit rien. Aïnako prit une longue inspiration chevrotante.

— J'accepte de rester avec toi, mais pas de renier mes amis.

La reine ne disait toujours rien. Aïnako fut tentée de se tourner vers Éléssan ou vers Naïké pour chercher leur soutien, mais elle s'obligea à garder les yeux bien ancrés dans ceux de Taïs.

— J'accepte de régner sur Shamguèn avec toi, poursuivit-elle lentement, mais il va falloir qu'on signe une entente avec ma mère. Pour qu'il n'y ait plus jamais de guerre. Jamais. Et je crois qu'il vaudrait mieux que je lui parle la première. En personne, je veux dire, seule à seule, pour tout lui expliquer. Je crois qu'elle sera plus réceptive si c'est moi.

Elle se tut pour essayer de démêler ses idées. Sa tête lui faisait mal, elle était à bout de nerfs, son cœur battait trop vite et ses genoux menaçaient de flancher à tout moment. Elle aurait aimé être certaine qu'elle ne s'était pas trompée. Réalisait-elle vraiment tout ce que sa décision impliquait ? Était-elle prête à assumer toutes ces responsabilités, à faire la paix avec Taïs, à lui pardonner et à régner avec elle sur un royaume qu'elle ne connaissait pas, loin de ses amis et de sa famille ?

Les questions s'accumulaient sous son crâne, mais les réponses n'avaient pas d'importance. Elle ne pouvait plus reculer. Elle n'avait pas choisi de pardonner à Taïs par souci de justice, mais parce qu'elle n'avait pas eu le choix. De toute façon, elle ne savait plus ce qui était juste ou non. Elle avait seulement voulu que Taïs empêche ses soldats de faire du mal à Naïké, à Olian et aux autres elfes qui récupéraient leur lumière. Elle avait seulement voulu que la guerre s'arrête.

Elle jeta un coup d'œil à la ronde, à tous ces yeux qui la dévisageaient. Elle se força à ralentir sa respiration et attendit d'être certaine que sa voix ne tremblerait pas avant de rouvrir la bouche.

— C'est peut-être Tsamiel qui a commencé la guerre en t'accusant du meurtre de votre père, reprit-elle d'une voix qui tremblait quand même, mais tu as causé beaucoup de mal depuis, beaucoup trop, et tu devras t'excuser devant les gens d'Élimbrel.

Elle aurait aimé ajouter quelque chose de profond ou de percutant pour conclure, mais son cerveau s'était encore embrouillé et elle perdait continuellement le fil de ses pensées.

Les minutes s'écoulèrent. Taïs semblait épuisée. Tous ses muscles étaient tendus comme si elle cherchait à contenir un frisson irrépressible. Elle paraissait plus petite, presque frêle, depuis que la force combinée du diamant noir et de l'arbre-soleil l'avait quittée. Mais elle releva tout de même la tête et dit d'une voix forte, malgré la pâleur de son visage et les cernes sous ses yeux:

— Très bien. Je présenterai mes excuses au peuple d'Élimbrel si Silmaëlle me présente les siennes au nom de ce même peuple pour tous les torts qui m'ont été causés.

Aïnako hocha la tête, incapable d'articuler le moindre mot. L'accord était scellé. Elle ferma les yeux, mais les rouvrit pour faire face au tollé qui commençait à s'élever autour d'elle.

# 15

## Départs

Les soldats d'Élimbrel, encore prisonniers, refusaient d'en rester là. Il fallait punir Taïs pour ses crimes, elle méritait la mort, elle devait souffrir, il ne fallait pas lui faire confiance, elle ne respecterait jamais sa parole.

Les soldats de Shamguèn attendaient un mot de leur reine. Taïs avait levé la main pour leur intimer l'ordre de garder le silence et de prendre patience. Déconcertée, Aïnako se tourna vers Éléssan. Il lui sourit, un sourire qui voulait dire qu'il était avec elle, qu'il appuyait sa décision. Il s'approcha d'elle et réclama l'attention de ses soldats.

— Aïnako est bien la fille de Silmaëlle, commença-t-il d'une voix forte et posée. Si nous ne vous avons rien dit, c'était pour la protéger, mais elle a aujourd'hui prouvé qu'elle n'avait nul besoin de protection. Le but de notre mission était de faire cesser la guerre et c'est ce qu'Aïnako nous offre. Elle gouvernera Shamguèn avec Taïs.

Il haussa le ton pour faire taire les quelques huées qui avaient fusé à la mention de l'ennemie notoire d'Élimbrel.

— Oui, avec Taïs, et ensemble elles assureront la paix, en Élimbrel comme en Shamguèn. La guerre est finie ; vous devriez vous réjouir.

Un silence tendu se mit à planer et Aïnako eut peur que les soldats se remettent à crier. Son regard tomba sur Olian. Debout et complètement rétabli, il la fixait avec un air étrange, comme s'il avait peur d'elle. Elle aurait voulu aller le voir, lui demander ce qui n'allait pas, mais n'osa pas avec tous ces yeux qui la scrutaient. Près de lui, Naïké la regardait en souriant. Elle s'avança vers elle, mais s'arrêta quand le soldat chargé de sa surveillance leva son épée.

— Laisse-la, ordonna Taïs à son soldat. D'ailleurs, aucun elfe ne devrait plus être prisonnier, maintenant que nous ne sommes plus en guerre.

Plusieurs soldats de Shamguèn eurent l'air de vouloir protester, mais tous finirent par se plier aux ordres de leur reine et entreprirent de libérer les elfes d'Élimbrel ainsi que les gnomes désignés par Varénia. Personne ne prononça le moindre mot, mais les regards hostiles échangés par les deux camps prouvaient bien que, si la guerre était terminée, la paix n'était pas forcément revenue pour autant.

Quant aux feux follets, ils n'avaient pas bougé et semblaient toujours aussi apeurés. Un élan de pitié poussa Aïnako à faire un pas dans leur direction, mais le doute la fit s'arrêter. Elle ne savait pas quoi leur dire. Une dizaine d'entre eux étaient debout et l'observaient avec des yeux inquiets. Ils avaient l'air si fragiles, si innocents, si loin des monstres de feu qui avaient semé la panique quelques instants plus tôt ! Leurs cottes de mailles semblaient glacées et pendaient comme des haillons gris sur leurs membres frissonnants.

Une fille aux longs cheveux jaune pâle à travers lesquels pointaient deux petites cornes noires finit par se détacher du groupe. Elle s'approcha d'Aïnako, mais n'osa pas la regarder en face.

— E… est-ce qu'on ppeut y aller, mmaintenant ?

La question prit Aïnako par surprise.

— Bien sûr, répondit-elle sans vraiment prendre la peine de réfléchir. Avez-vous besoin d'aide ? Voulez-vous qu'on v…

La fille releva si vivement la tête qu'Aïnako recula d'un pas.

— Tttout ce que nous voulons, c'est ppartir d'ici. Nnous n'avons besoin de rien de ce que vous pouvez nous offrir. Fffichez-nous la paix. Pour toujours !

Elle se détourna en faisant signe aux moins maigrelets de son groupe de transporter les morts et les blessés.

Elfes et gnomes les regardèrent s'en aller en silence. Sidérée, Aïnako se tourna vers Taïs. Elle s'attendait à ce qu'elle dise quelque chose, un mot d'excuse, une promesse d'aide ou de récompense, n'importe quoi. Mais la reine ne dit rien et elle pensa avec amertume que la compassion et la sensibilité qu'elle avait senties dans le cœur de sa grand-mère étaient peut-être enfouies plus loin qu'elle ne l'avait cru. Elle se força toutefois à ne pas perdre espoir. Deux cents ans de haine et de guerre ne pouvaient s'effacer en un clin d'œil.

Une fois les feux follets partis, elle prit un air décidé, même si son cœur tambourinait et qu'elle avait les mains moites. Elle s'approcha d'Erkor, dont une moitié du visage était couverte de sang séché, mais qui semblait s'être tout à fait remis de ses blessures. Il discutait à voix basse avec Varénia, mais ils cessèrent de parler quand elle arriva près d'eux.

— Il faudrait libérer les autres lumières, dit-elle timidement en pointant le plafond.

Erkor hocha la tête, mais ne répondit pas. Il fixait Varénia comme s'il attendait sa permission pour ouvrir la bouche. Mais Varénia observait quelque chose derrière Aïnako, qui se retourna pour voir Taïs se diriger vers eux, accompagnée d'un des deux soldats qu'elle avait désignés pour la soigner. Elle sentit alors un bras effleurer le sien. Éléssan s'était lui aussi joint à eux. « Bon, se dit-elle, on a toutes nos gardes du corps, on dirait ! » Elle essaya de sourire, mais en fut incapable.

— Nous partons avec nos prisonniers, annonça Varénia quand Taïs s'arrêta à côté d'Aïnako. Erkor ouvrira une brèche pour permettre à toutes ces lumières de retrouver leur propriétaire. Je vous dis donc à bientôt, car nous nous reverrons sous peu. Mon frère ira croupir en prison. Il mériterait sûrement un châtiment plus sévère, mais je ne suis pas aussi cruelle que lui. À compter de ce jour, je deviens donc la nouvelle reine d'Okmern. Une de mes premières actions sera de rétablir un lien de confiance entre mon peuple et ceux d'Élimbrel et de Shamguèn. Peu importent les sentiments personnels que je nourris à votre égard.

Elle avait regardé Aïnako en parlant, mais, pendant qu'elle prononçait sa dernière phrase, ses yeux avaient dévié vers Taïs, qui eut un drôle de tic sur le visage, comme à mi-chemin entre remords et agacement, et qui sembla hésiter entre une réplique acerbe et une parole tranquillisante. Elle opta finalement pour un hochement de tête silencieux.

Les gnomes quittèrent la place royale par l'entrée principale de la grotte, une vaste porte circulaire d'où partaient un escalier souterrain allant directement au royaume d'Okmern et un autre menant vers le haut, à l'extérieur, dans la cité de Shamguèn.

Pris entre deux de ses anciens sujets, Valrek hurla qu'il n'était pas question que ça se termine ainsi, qu'il se vengerait, que tous les elfes paieraient pour cette humiliation, en particulier cette petite bâtarde qui osait lui rappeler que son propre sang, le sang de son père, le sang de ses ancêtres, avait été mêlé à de l'immonde sang elfe.

Aïnako essaya de ne pas se laisser impressionner, mais sentit la peur la gagner malgré elle. Éléssan dut s'en rendre compte ; il posa une main sur son épaule et fixa le roi déchu d'un œil mauvais, presque de défi.

La voûte se fendit alors que l'écho des dernières imprécations de Valrek s'éteignait. D'un coup, le soleil engloutit la place royale et, comme aspirées par sa chaleur, les lumières s'envolèrent. Aïnako leva la tête vers la tache de ciel aveuglante apparue au milieu du roc gris et eut envie de les suivre, de sentir le vent sur sa peau, d'oublier les derniers événements et de ne plus penser à rien.

La voûte se referma dès que la dernière étincelle se fut évadée, replongeant la grotte dans l'obscurité. Le roc se remit à briller discrètement pour Aïnako et les gnomes. Un léger halo blanchâtre apparut autour du palais de verre. Même les épées éparpillées se mirent à luire de la couleur de leur lame. Presque tous les elfes s'enveloppèrent d'un écran lumineux et ce fut suffisant pour effacer toutes ces lueurs éthérées.

Aïnako sentit un frisson courir sur sa peau. L'air lui paraissait soudain glacé. Éléssan retira sa main de son épaule et ce fut comme si la pièce venait encore de se rafraîchir. La peur que les menaces de Valrek lui avaient causée n'avait pas disparu, mais elle s'était transformée. Elle s'était mêlée à celle d'avant, celle qu'elle ressentait depuis qu'elle avait passé un accord avec Taïs, pour former autre chose, une autre peur, plus diffuse, mais également plus profonde. Une peur qui s'apparentait au désespoir.

Elle aurait aimé qu'Éléssan remette sa main sur son épaule, tout en sachant qu'il ne le ferait pas. Elle était l'égale de Taïs, maintenant. Elle ne pouvait plus s'appuyer sur qui que ce soit. Elle fit un énorme effort pour refouler ses larmes.

— Je pars aussi, annonça-t-elle d'une voix un peu trop aiguë à son goût. Mais je reviendrai, tu en as ma parole, une fois que j'aurai parlé à ma… à Silmaëlle.

Taïs lui offrit de l'escorter avec une partie de son armée jusqu'à la porte de la cité. Comme le peuple de Shamguèn n'était pas encore au courant que la guerre venait de se terminer, Aïnako jugea plus prudent d'accepter et elle demanda à Éléssan de donner l'ordre du départ. Il s'exécuta avec une révérence à demi moqueuse qui réussit à lui tirer un semblant de sourire. Elle aurait voulu aller rejoindre Olian, qui la regardait toujours comme si elle venait de se transformer en quelque chose d'infect ou d'effrayant, mais Taïs lui fit remarquer qu'il vaudrait mieux venir en tête, avec elle. La gorge serrée, Aïnako acquiesça et la suivit vers l'extérieur.

Le soleil illuminait l'horizon et elle ne comprit pas tout de suite d'où venaient les reflets multicolores qui scintillaient partout dans son champ de vision. Lorsque sa vue s'ajusta à la lumière, une exclamation de surprise lui échappa.

La cité de Shamguèn s'étalait devant elle

comme une mer de pierres précieuses, comme un incommensurable coffre au trésor à ciel ouvert. Des gratte-ciel de grenat s'élevaient comme des spirales de sucre d'orge, des tours d'agate et d'émeraude semblaient avoir surgi directement du ventre de la terre, des arches de diamant et des passerelles de saphir s'entrecroisaient au-dessus des maisons de turquoise et de lapis-lazuli. En passant à travers les pierres, le soleil projetait des dessins confus sur les dalles multicolores qui recouvraient le sol de la cité.

Au début, seules quelques têtes curieuses parurent par les fenêtres et les portes entrebâillées, puis, peu à peu, une foule de plus en plus nombreuse se jucha sur les passerelles et les crêtes scintillantes des édifices pour observer les soldats des deux camps qui avançaient dans la ville. Aïnako fut intimidée par tous ces regards qui semblaient se demander ce qu'elle, une soldate d'Élimbrel, fabriquait à côté de la reine. Sur tous les visages, c'était la méfiance qui dominait. Parfois l'étonnement, mais un étonnement craintif, dubitatif.

Elle vit quelques enfants voleter au-dessus des adultes pour mieux voir, mais leurs parents les rattrapèrent aussitôt pour les ramener près d'eux. Le silence qui régnait était oppressant. Aïnako aurait presque préféré que les gens leur lancent des pierres; au moins, elle n'aurait pas été obligée de croiser leur regard. Elle rentra la tête dans les épaules en s'efforçant de ne pas se laisser distancer par Taïs, qui marchait la tête haute, sans un regard pour ses sujets. Ses cheveux renvoyaient des reflets aveuglants et son visage était redevenu fier. Le soleil avait effacé les cernes sous ses yeux qui brillaient à nouveau d'une lueur froide et impérieuse.

Derrière elles, les soldats de Shamguèn entouraient ceux d'Élimbrel, si bien que le peuple ne devait pas savoir si ces derniers étaient prisonniers ou protégés. Mais ils avançaient tous en cadence, en regardant droit devant eux. Aïnako eut beau essayer d'en faire autant, elle fut incapable de ne pas tourner les yeux vers les visages des citoyens de Shamguèn.

Et ce fut à ce moment que ça la frappa: ces gens seraient bientôt ses gens, son peuple. Le seul fait de dire le mot peuple la mettait mal à l'aise. Elle fut donc soulagée quand ils arrivèrent devant l'entrée de la cité, où une demi-douzaine de gardes les attendaient. Taïs s'approcha d'eux.

— Amenez-moi une quarantaine de renards, et des plus endurants, pour que nos nouveaux alliés puissent rentrer chez eux sans avoir à s'arrêter à tout bout de champ.

Une fois hors de Shamguèn, Aïnako se retourna pour s'assurer que tous les soldats avaient suivi. La cité s'était complètement effacée, comme si elle n'avait été qu'un mirage. Les renards arrivèrent alors que les derniers elfes traversaient le mur de lumière invisible qui camouflait le royaume.

— Rapide, commenta Aïnako en se rappelant ce qu'Éléssan avait dit au sujet des renards qui avaient disparu.

— J'ai commencé à élever moi-même des animaux, répondit Taïs. Ils ne sont pas prisonniers, au cas où tu te poserais la question. Je leur ai offert ma protection et mes soins et ils sont venus d'eux-mêmes.

Taïs observa Aïnako un moment, comme pour imprimer chaque détail de son visage dans sa mémoire, et la salua à la manière des elfes d'Élimbrel. Aïnako aurait voulu dire quelque chose, mais elle ne savait même plus ce qu'elle ressentait pour cette elfe maigre et anguleuse qui avait été son ennemie. Elle se contenta donc de lui rendre son salut avant d'ouvrir les ailes pour aller retrouver Iriel sur le dos du renard qu'ils partageraient jusqu'à Lilibé. Elle lui sourit. Le visage d'Iriel resta de marbre.

— Tu sais, dit-elle après quelques minutes de route silencieuse, je n'ai presque aucun souvenir de la vie de ma mère. Je sais que vous étiez amis, mais je ne sais pas vraiment ce qui s'est passé.

Le visage d'Iriel était toujours aussi rigide, mais ses yeux se mirent à briller d'un éclat étrange. Elle poursuivit, presque à mi-voix :

— Un des seuls souvenirs que j'ai, c'est celui du jour où elle t'a laissé pour faire la paix avec Taïs… Je me souviens parfaitement de la douleur qu'elle a ressentie quand elle te disait qu'elle devait le faire pour le bien du peuple. C'est vrai que je n'ai pas beaucoup vécu, par comparaison avec la plupart des elfes, mais je t'assure que je n'avais jamais autant souffert de toute ma vie. C'était comme… j'avais véritablement l'impression que mon cœur ou mon âme se déchirait. C'est ridicule à dire, mais…

— Tais-toi, Aïnako. Tu n'es qu'une enfant. Tu ne sais pas de quoi tu parles.

La froideur de sa voix la blessa plus qu'elle ne voulut l'admettre.

— Je croyais que tu m'appréciais. Avant qu'on arrive en Shamguèn, tu me parlais comme à une amie.

— Tu ressembles trop à ta mère pour être mon amie. Je ne comprends pas comment j'ai pu ne pas le voir avant.

— Tu la détestes ; je le savais ! Et tu me détestes parce que je suis sa fille !

— Tu ne connais rien de moi. N'essaie plus de te mêler de ce qui ne te regarde pas.

Il se tut et continua à la fixer en silence. Il avait parlé d'un ton rude, mais il avait l'air fatigué, peut-être même triste. Elle aurait voulu lui dire à quel point elle était désolée, mais, comme c'était sans doute la dernière chose dont il avait envie, elle se contenta de baisser la tête et de se détourner.

# 16

## Païlia et Silmaëlle

Les rires et les éclats de voix des fêtards lui parvenaient presque intacts à travers les quatre couches de mousseline qui entouraient son lit. Les soldats avaient quitté Shamguèn la veille. Ils avaient passé la première nuit à la belle étoile, mais, ce soir-là, ils dormiraient bien confortablement dans les lits propres et frais d'une halte militaire. Composée de deux plateformes superposées encerclant le tronc d'un grand érable, elle était protégée par une bulle de lumière transparente semblable à celles qui enveloppaient Lilibé et Shamguèn.

Alors que tous les soldats s'étaient avidement jetés sur les plats et les bouteilles qui les attendaient dans la salle de repas, Aïnako s'était contentée d'une douche et de vêtements propres avant d'aller s'isoler dans un des grands lits à baldaquin réservés aux invités importants. En toute autre circonstance, elle aurait refusé ce traitement de faveur, mais, quand Éléssan le lui avait proposé, elle avait tout de suite sauté sur l'occasion. Enfin, elle pourrait s'abriter des regards et découvrir les autres souvenirs que contenait la perle d'agate grise qui était encore dans sa poche, avec le pistil qu'elle avait enveloppé dans une bande de tissu pour en dissimuler l'éclat.

— Toc toc, fit la voix de Kaï de l'autre côté de la mousseline.

Aïnako s'assit dans son lit et écarta le rideau. Kaï s'installa à côté d'elle.

— T'es sûre que tu ne veux pas fêter avec nous ? Tu ne pourras jamais dormir, avec tout ce bruit.

— De toute façon, je doute que les autres s'amusent autant si je suis là.

Plus personne ne lui adressait la parole, tous les yeux se détournaient dès qu'ils rencontraient les siens, les conversations s'interrompaient dès qu'elle approchait et tous les soldats avaient pris l'habitude de se prosterner quand ils la voyaient, ce qui la mettait terriblement mal à l'aise.

— On s'en fout, des autres, dit Kaï en lui donnant un petit coup d'épaule.

Aïnako secoua la tête.

— Vas-y, toi. Va t'amuser. On dirait que tout le monde t'aime bien, maintenant.

— Ouais, depuis qu'ils s'imaginent que je vais rentrer sagement chez moi et qu'ils ne verront plus jamais l'ombre d'un de mes boudins jaunes. Mais je crois que je vais plutôt profiter de ma grande amitié avec la nouvelle reine de Shamguèn et princesse d'Élimbrel pour faire valoir mes droits.

Elle jeta un regard moqueur à Aïnako qui eut un rire à moitié convaincant.

— Si tu veux n'importe lequel de ces titres, je te le donne avec joie.

— Peut-être un jour, dit Kaï en riant, mais je ne crois pas que je ferais une très bonne reine. Pas aussi bonne que toi, en tout cas. De toute façon, pour le moment, tout ce que je veux, c'est que les deux royaumes reconnaissent qui je suis.

— Pourquoi ? Si tu ne veux pas gouverner, qu'est-ce que ça change ?

— Je veux que les deux royaumes arrêtent de traiter les elfes sauvages en... sauvages. Je veux qu'on soit reconnus comme un peuple à part entière. Si mon arbre généalogique peut aider, tant mieux. Et si jamais ça prend quelqu'un pour gouverner ce peuple, eh bien... eh bien ! on verra bien.

Aïnako sourit.

— Ça va être fait, Kaï. Je te le promets. Les elfes sauvages ne seront plus laissés de côté. Maintenant, va t'amuser.

— Seulement si tu viens avec moi.

— Je suis trop fatiguée. J'ai juste envie de dormir. Pour de vrai, je te le jure, je vais bien; j'ai juste envie de me reposer.

Kaï hocha la tête et s'en alla à regret. Après un moment, Aïnako s'allongea sur son lit et sortit la bille de sa poche. Son cœur se mit à battre plus fort. Cette petite pierre renfermait peut-être toute la vie de son père. Elle ferma les yeux et la serra dans ses doigts, prête à basculer.

Rien ne se passa. Elle ouvrit la main et examina la petite sphère lisse. Pourquoi ne lui faisait-elle aucun effet? Elle referma les doigts, les pressa contre son cœur, referma les yeux et pensa à son père, Fælkor... Une aura de tristesse semblait entourer ce nom. Chaque fois qu'elle s'était retrouvée dans ses souvenirs, il était triste. Même enfant, il avait été triste. Elle tenta de revoir le visage de petit garçon qui s'était superposé au sien dans la flaque d'eau. Elle se rappela seulement ses grands yeux argentés et ses longs cheveux droits, aussi brillants que de la neige au soleil. Elle se demanda ce qu'était devenue Païlia, celle qui l'avait tué sans le vouloir.

Une image floue commença à prendre forme sur le fond noir de ses paupières. Un visage se précisa, la peau olive pâle, les cheveux rose pêche, les yeux couleur de miel… et des larmes, des larmes qui coulaient, suivaient la courbe des joues, emplissaient les deux fossettes qui prolongeaient le sourire et poursuivaient leur course jusqu'au menton, jusqu'au cou. Aïnako aussi avait envie de pleurer. Sa respiration se faisait de plus en plus hachurée.

— Merci, réussit-elle à articuler de la voix de son père.

— Comme ça, tu pourras penser à moi tous les jours, répondit Païlia en reculant d'un pas.

Cette fois, elle portait l'uniforme blanc de l'armée de Shamguèn et la même épée d'aigue-marine pendait à sa ceinture. Fælkor porta une main à sa gorge et Aïnako sentit des billes rouler sous ses doigts. Païlia venait de lui attacher un collier derrière le cou.

— Maintenant, tu peux y aller, ajouta Païlia.

Fælkor ouvrit les ailes, mais resta où il était.

— Va-t'en, murmura Païlia.

Fælkor acquiesça, mais ne s'envola toujours pas.

— Va-t'en, répéta Païlia plus durement, en le poussant de ses deux mains.

Il l'attrapa par les épaules et la serra contre lui. Elle commença par se débattre, puis s'abandonna en poussant une plainte qui ressemblait à un rugissement. Fælkor replia ses ailes et appuya sa joue contre sa tête. Aïnako sentit les cheveux roses lui chatouiller le visage. Son père ferma les yeux et elle cessa de voir les ailes secouées de sanglots de Païlia.

— C'est pour le bien du peuple, chuchota-t-il, plus pour lui que pour elle. C'est pour le bien du peuple. Nous nous retrouverons plus tard, quand la paix sera revenue.

Païlia se dégagea.

— Tu dis n'importe quoi, comme d'habitude. Tu seras avec elle et tu m'auras oubliée. C'est notre ennemie, Fælkor. Notre ennemie!

— Païlia…

Païlia lui prit la main et l'emprisonna dans les siennes.

— On devrait partir, ensemble, tous les deux. On devrait s'en aller loin d'ici. Assez loin pour que ta mère ne nous retrouve jamais.

— Maintenant, c'est toi qui dis n'importe quoi.

Les yeux de Païlia s'assombrirent. Elle rejeta la main de Fælkor.

— Qu'est-ce que tu fais encore ici, alors? Qu'est-ce que tu attends pour aller la rejoindre? Je sais que vous vous êtes donné rendez-vous.

— Seulement pour régler les détails de…

— De votre mariage. Je sais.

— Tu sais que c'est plus une alliance politique qu'un mariage.

— Je sais, tu me l'as assez répété. Tu as toujours été lâche. Tu n'as jamais été capable de t'affirmer devant ta mère. Au fond, c'est mieux ainsi. Qu'est-ce que je ferais d'un sans-colonne comme toi, de toute façon ?

Pendant un instant, elle eut l'air de vouloir ajouter quelque chose, mais elle ouvrit les ailes dans un claquement sec et s'arracha du sol sans un mot de plus.

Fælkor la regarda s'éloigner jusqu'à ce qu'elle disparaisse dans les étoiles naissantes du soir. Aïnako avait du mal à respirer. Quoi qu'en ait dit Païlia, son père n'avait pas choisi d'épouser Silmaëlle pour obéir à sa mère. Il croyait vraiment que c'était la seule solution à la guerre. Les deux reines avaient beau ratifier toutes les alliances du monde, si le peuple ne leur accordait pas son aval, toutes ces belles promesses s'effondreraient. Les gens avaient besoin d'un symbole, d'une figure qui soutiendrait cette nouvelle alliance et effacerait tous les doutes, toutes les réticences. Silmaëlle et Fælkor seraient ce symbole, la preuve qu'aucun des royaumes n'attaquerait l'autre par surprise.

Immobile, Fælkor attendait d'être certain que Païlia soit assez loin pour qu'il ne puisse pas la rattraper. Il étouffait, mais refusait de libérer ses larmes. Il ferma les yeux et essaya de se calmer. Aïnako sentit qu'il s'apaisait lentement, mais cela ne dura pas. Le visage de Païlia ne cessait de revenir se greffer à ses rétines. Irrité, il rouvrit les yeux, serra les mâchoires et décolla.

Il vola longtemps, le plus vite qu'il pouvait. L'air sombre était chargé de l'odeur humide des feuilles mortes. Quand il finit par se poser, le souffle court, au pied d'un grand chêne gris, la nuit était déjà bien entamée. Une voix claire se fit entendre au-dessus de sa tête :

— Tu fais bien d'être essoufflé. Tu sais depuis combien de temps je t'attends ?

Silmaëlle, qui était perchée sur une branche, se laissa tomber devant lui. Sa voix était plus haute que celle qu'Aïnako avait entendue dans ses visions précédentes. Elle portait une longue robe verte brodée de fils de bronze et ses cheveux bordeaux, légèrement bouclés, étaient attachés sur le dessus de sa tête en une sorte de boule emmêlée. Elle souriait, mais son sourire fit rapidement place à une expression soucieuse quand elle s'approcha de lui.

— Fælkor, dit-elle en le prenant par le poignet pour le faire asseoir à ses côtés sur une racine.

Aïnako sentit la pression tiède de ses doigts sur sa propre peau et, même en tant que spectatrice impuissante, elle en fut toute retournée. Elle savait bien que ce n'était pas elle que sa mère touchait, qu'elle ne percevait l'empreinte de ses doigts qu'à travers les sens de son père, mais ce contact provoqua un afflux d'émotions qui n'avaient rien à voir avec Fælkor ou la scène dont elle était témoin. Elle eut soudain envie de rire et de pleurer. Silmaëlle lâcha le poignet de Fælkor et la sensation disparut.

Il essaya de sourire. Silmaëlle n'eut pas l'air convaincue. Il finit par lui raconter ce qui s'était passé avec Païlia. En parlant, il faisait rouler les billes de son collier entre ses doigts. Silmaëlle écouta en silence. À la fin, elle plongea ses yeux bleus dans les siens. Aïnako tressaillit. C'était les yeux de tatie Vivi.

— Tu peux encore changer d'idée, tu sais. Pour le mariage, je veux dire.

Les coudes sur les genoux, Fælkor appuya ses paumes sur ses paupières. Le visage de Païlia apparut presque aussitôt. Il appuya encore plus fort. Le visage de Païlia ne s'effaça pas. Il releva la tête et regarda Silmaëlle.

— Tu sais bien qu'on n'a pas le choix ! Ça fait presque un an qu'on essaie d'unir nos royaumes, de ne plus former qu'un seul peuple. En Shamguèn, les gens ne veulent rien savoir, et les choses ne se passent pas beaucoup mieux en Élimbrel.

— Ouais… Les protestations se font de plus en plus violentes, les soldats menacent de déserter si on les oblige à combattre aux côtés de Shamguèn, les gens sont de plus en plus nombreux à exiger la reprise des hostilités. C'est à devenir fou.

— Tu vas voir, quand ma mère ne sera plus au pouvoir et qu'on régnera ensemble, toi et moi, sur nos deux royaumes réunis, tout le monde oubliera ses différends.

— J'aimerais avoir ta foi, soupira Silmaëlle.

Fælkor baissa la tête et recommença à jouer avec les billes de son collier.

— Ce n'est pas de la foi, dit-il sans lever les yeux. Il faut que ça se passe ainsi, il faut que les habitants des deux royaumes acceptent l'alliance, sinon on finira par s'exterminer mutuellement.

« Et Valrek en profitera pour nous écraser », voulut-il ajouter. Mais il ne le fit pas et Aïnako sentit que cette omission lui coûtait. C'était Taïs qui avait insisté pour que leur lien avec Okmern soit tenu secret. Elle craignait que Silmaëlle refuse d'épouser Fælkor si elle apprenait qu'il avait du sang gnome. Et lui était d'accord. Il avait toujours eu honte de ses origines. Taïs lui avait toujours appris à les cacher. En Shamguèn, personne ne savait qui était son père, même pas Païlia. Fælkor espérait que Valrek renonce de lui-même à ses projets sanguinaires en apprenant son union avec Silmaëlle. Okmern n'était pas de taille à lutter contre Élimbrel. C'était même la seule raison pour laquelle Valrek avait accepté de prolonger l'alliance que leur père, Melkor, avait conclue avec Taïs.

Mais Aïnako sentait les remords grossir en lui. Silmaëlle avait le droit de savoir. Il devait le lui dire. De toute façon, elle finirait par l'apprendre. Il se tourna vers elle, résolu, mais Silmaëlle était déjà en train de parler.

— C'est vraiment noble de ta part, Fælkor, de sacrifier ton bonheur à celui de ton peuple.

Aïnako sentit l'estomac de son père se contracter. Il se sentait lâche, coupable, hypocrite, mais pas noble. Silmaëlle sourit. Des larmes brillaient au bord de ses cils.

— Tu l'es cent fois plus que moi, souffla-t-il.

— Pas tant que ça. Avec Iriel, ça a été facile. Il n'est pas du genre à revenir à genoux. Enfin, pas que Païlia soit comme ça non plus, c'est juste… c'est juste qu'Iriel est plus… buté. Quand il déteste quelqu'un, c'est pour de bon.

Elle se tut et cligna plusieurs fois les paupières pour chasser les larmes. Fælkor avala sa salive et se força à la regarder dans les yeux.

— Il faut que je te parle, Silmaëlle. Et ça risque vraiment de tout compromettre, mais il faut que je te le dise, même si ma mère est contre, même si tu vas sûrement me détester.

— Ça a rapport avec notre mariage ?

— Ça a rapport avec la guerre.

— Demain, d'accord ?

Elle posa une main sur son bras et la pierre de sa bague lui effleura la peau. Des images déboulèrent dans le cerveau d'Aïnako : les tours de nacre du palais de Lilibé, le visage de Taïs en train de se battre, en train de la maudire, en train de négocier les clauses de l'armistice, les yeux gris de Fælkor la première fois qu'ils s'étaient rencontrés, Fælkor dans l'ombre de Taïs, toujours en retrait, qui n'osait jamais parler pour lui-même, le sang de Néréli chaud et gluant entre ses doigts, les citoyens de Lilibé au complet rassemblés pour son couronnement, le visage d'Iriel quand elle lui disait qu'elle était le peuple et ne pouvait plus faire à sa tête, la haine dans son regard, Iriel sur le dernier balcon de la tour des militaires, les étoiles tout autour de lui, avec ce regard impassible qui allait devenir sa marque de commerce… *On a toujours le choix, Maë. Mais les choix ne sont pas toujours ceux qu'on pensait…* C'était la première fois qu'il la regardait avec autant de mépris dans les yeux.

Fælkor enleva doucement la main de Silmaëlle de sur son bras. Il faisait plus attention, d'habitude. Cette fois-ci, il était trop préoccupé, il s'était laissé surprendre.

— Demain, répéta Silmaëlle qui n'avait eu conscience de rien. J'en ai assez de parler de guerre ; c'est ce que j'ai fait toute la semaine. Je n'en peux plus de devoir être forte.

Fælkor hocha la tête. Il avait du mal à se rappeler ce dont il voulait lui parler. Une larme coula sur la joue de Silmaëlle. Elle l'essuya avec son poing, mais d'autres suivirent et elle abandonna. La gorge de son père se serra.

— On est beaux, dit-il en essayant de rire, à pleurnicher comme des enfants… les deux futurs souverains du futur peuple unifié de Shamguèn et d'Élimbrel…

— Shamguèlimbrel…

Une lueur moqueuse brillait dans les yeux de Silmaëlle, derrière les larmes, et Fælkor ne put s'empêcher de sourire. C'était lui qui avait sorti ce nom ridicule pour essayer de détendre l'atmosphère, il y avait presque un an, alors qu'ils se connaissaient à peine.

— Rappelle-moi de te le dire demain, d'accord ? Sinon, j'ai peur de manquer de courage.

— Demain, murmura encore Silmaëlle en posant une main sur la joue de Fælkor.

Ses doigts étaient froids et Aïnako eut envie

de les prendre dans les siens pour les réchauffer, ce que son père fit presque immédiatement en les laissant sur sa joue brûlante. Un oiseau noir passa près d'eux en croassant. Le vent de ses ailes souleva l'odeur de la terre et des feuilles mêlée à un autre parfum, un parfum léger de printemps, le parfum de Silmaëlle. Fælkor ferma les yeux. Le visage de Païlia l'attendait derrière ses paupières. Il les rouvrit et s'obligea à ne regarder que Silmaëlle, que les yeux de Silmaëlle, de la couleur du ciel juste avant la nuit. Il ne voyait plus que ses yeux, ne sentait plus que son odeur. L'image de Païlia s'estompait enfin…

# 17

## Comme une pluie d'étincelles...

La vision se dissipa et Aïnako se réveilla. Son cœur battait à tout rompre. Elle attendit de retrouver son souffle pour ouvrir la main. Ses ongles avaient creusé des demi-lunes dans sa paume. C'était donc tout ce qu'elle saurait de son père. Il n'avait porté son collier qu'une nuit. Une seule nuit.

Elle lutta d'abord contre les larmes, puis se recroquevilla et enfonça son visage dans l'oreiller. Elle pleura. Longtemps. Sans bruit. Elle pleura les larmes qu'elle retenait depuis deux jours, depuis son accord avec Taïs, depuis qu'Olian ne lui adressait plus la parole et qu'il la regardait à peine. Il avait été son premier ami en Élimbrel et maintenant il la traitait comme une parfaite inconnue. Ce n'était quand même pas sa faute à elle si elle était la petite-fille de Taïs ! Elle avait peur, terriblement peur. Elle avait des crampes d'estomac chaque fois qu'elle pensait à l'avenir, aux responsabilités qui l'attendaient une fois qu'elle serait sur le trône de Shamguèn. Pourquoi fallait-il que ce soit tombé sur elle ? Elle était beaucoup trop jeune ! Les elfes avaient peut-être leur mémoire parentale pour les aider à devenir adultes plus vite, mais elle avait été élevée comme une humaine. Elle voulait encore s'amuser avec ses amis !

Soudain furieuse contre elle-même, elle abattit son poing sur son matelas. Elle avait peur, elle était terrorisée, mais elle s'en sortirait. Elle devait s'en sortir. Elle avait réussi à faire cesser la guerre et maintenant elle ramènerait la paix, la vraie, celle qui dure. Elle le devait à son père. Son père ne serait pas mort pour rien.

Elle renifla un bon coup, essuya son visage dans ses draps et replaça ses cheveux emmêlés derrière ses oreilles. Elle en avait assez des questionnements sans réponse et, plus que tout, elle ne voulait pas de regrets. Elle n'était pas cette larve apathique qui se morfondait depuis deux jours.

Elle émergea de son lit à baldaquin et fila vers la salle de repas où les soldats faisaient la fête. Un coup d'œil lui suffit. Celui qu'elle cherchait n'y était pas. Elle fit donc le tour des lits, tous vides, et s'apprêtait à traverser la bulle de protection quand elle vit Iriel qui la franchissait dans l'autre sens. Leurs regards se rencontrèrent, mais il détourna le sien et la croisa sans un mot.

Elle s'arrêta et se retourna pour le suivre des yeux. Les premiers mots qu'elle l'avait entendu prononcer, ceux qu'il avait murmurés à l'oreille de sa mère endormie, se remirent à tourner dans son esprit. Elle comprenait maintenant ce qu'il avait voulu dire. *Maintenant, on est quittes.* Iriel ne détestait pas sa mère. Quand elle avait perdu sa lumière, il avait déjà cessé de vivre depuis longtemps.

Iriel se posa parmi les fêtards, mais ne se mêla à aucune conversation. Il se servit un verre d'hydromel et alla s'adosser contre le tronc de l'arbre pour observer les soldats d'un œil morne. Aïnako fut tentée d'aller le rejoindre pour lui parler, mais elle se ravisa et poursuivit sa route. Lui parler de quoi ?

Les bruits de la fête cessèrent dès qu'elle se retrouva de l'autre côté de la bulle. Le calme de la forêt la saisit. La nuit était complètement tombée, mais la lune était claire.

Elle l'aperçut immédiatement, tout seul, assis sur une des branches les plus hautes d'un grand peuplier. L'uniforme qu'il portait était visiblement neuf et ses longues tresses tombaient comme de minuscules lianes sur ses épaules. Une de ses jambes se balançait dans le vide et il avait replié l'autre sous son coude. Le visage tourné vers le ciel, il semblait réfléchir. Il amena son verre à ses lèvres, se rendit compte qu'il en avait déjà bu tout le contenu, mais ne fit aucun geste pour se lever et aller s'en chercher un autre.

Il sursauta quand elle posa une main sur son épaule.

— Je peux m'asseoir ?

Pendant une seconde, Olian eut l'air d'avoir vu un fantôme. Il déplia tout de même sa jambe comme pour lui adresser une invitation et elle s'assit près de lui. Leurs bras se touchaient presque et elle sentit tous les petits poils se hérisser sur le sien. Son pouls s'accéléra.

— Tu m'évites depuis qu'on est partis de Shamguèn, commença-t-elle. Si c'est parce que mon père était le fils de Taïs, ou parce que tu crois que je n'aurais pas dû lui pardonner, ou parce que tu m'en veux de t'avoir menti, ou…

— C'est pas ça, Aïnako. C'est juste que…

Il se tut et baissa les yeux sur son verre vide.

— Quoi ? demanda-t-elle doucement.

Les yeux toujours baissés, il passa un doigt sur le contour de son verre et soupira.

— Tu es la princesse. Et la nouvelle reine de Shamguèn.

— Co-reine seulement !

— Je croyais que tu étais comme moi, que tu avais grandi dans un trou perdu, que tu venais de débarquer à Lilibé, que…

— Mais je suis comme toi ! Tu te souviens de la première fois qu'on s'est vus ? C'était aussi la première fois que je voyais Lilibé. Je n'avais jamais rencontré ma mère et je n'ai même pas pu lui parler puisqu'elle était dans le coma. Je ne savais même pas que j'étais une princesse, ni même une elfe, à peine deux jours auparavant.

Olian sourit et leva enfin les yeux vers elle.

— Tu ne savais pas que tu étais une elfe ? Tu croyais que tu étais quoi ? Un haricot ?

Aïnako éclata de rire.

— C'est une longue histoire. Je t'expliquerai plus tard, si tu veux.

Olian ne perdit pas tout de suite son sourire, mais ses yeux redevinrent tristes et il baissa à nouveau la tête.

— Je veux bien. Mais je ne crois pas que ça change grand-chose. On n'est pas du même monde, c'est tout.

— Et alors ? murmura Aïnako. Qu'est-ce que ça peut faire ?

Olian ne répondit pas. Elle se demanda

même s'il l'avait entendue. Il regardait son verre vide que ses longs doigts faisaient tourner dans ses mains. Elle voulut dire quelque chose, mais ne trouva pas et garda le silence. Une minute s'écoula. Puis deux.

— Il est tard, je vais me coucher, dit alors Olian en se levant. Bonne nuit, Aïnako.

Elle se leva aussi en hâte et l'accrocha par le bras. Il se tourna vers elle, surpris. Elle ouvrit la bouche, mais les mots restèrent pris dans sa gorge. Il devait vraiment la prendre pour une idiote à le dévisager ainsi, aussi muette qu'une plante verte. Il avait les yeux rivés aux siens et la flamme rouge brillait plus que jamais derrière ses iris marron. Désespérée de ne pas trouver les mots qu'elle cherchait, elle s'approcha pour lui prendre l'autre main, mais quelque chose la retint. Il l'avait agrippée par les épaules et l'empêchait d'avancer. Il avait lâché son verre qui s'était écrasé au sol en éclatant sur une racine. Le bruit sembla se répercuter à l'infini. Aïnako eut l'impression que c'était son propre cœur qui venait de voler en éclats. Elle voulut s'enfuir, mais Olian la tenait encore. Il prit une mèche de cheveux bordeaux entre ses doigts et sourit. La flamme rouge s'était transformée en lueur espiègle.

— C'est vrai que tu ne ressembles pas trop à une princesse.

— Je suis trop dépeignée, c'est ça ?

— Tu auras bientôt des tas de demoiselles de compagnie pour remédier à la situation.

— Oh ! Dans ce cas, je suppose que je n'ai plus besoin de toi. Si je peux m'acheter des amis qui approuveront tout ce que je dis sans jamais faire semblant d'aller se coucher pour me fuir, ça règle tous mes problèmes.

Il rit et glissa une main sous ses ailes pour l'attirer un peu plus près.

Quelques jours plus tard, la troupe arrivait devant le dôme de Lilibé. Éléssan ordonna une halte dans un des arbres entourant la cité. Nerveuse, Aïnako ne cessait de défaire et de refaire sa queue de cheval ou de l'enrouler autour de ses doigts en spirales de plus en plus serrées.

— Ça va bien aller, dit Olian.

Elle se tourna vers lui et fronça les sourcils.

— Ta mère, continua-t-il. C'est la première fois que tu vas la rencontrer. Ça va bien aller.

— Comment peux-tu savoir que c'était justement à ça que je pensais ?

— Tu t'arraches les cheveux chaque fois que tu entends son nom. Comme en ce moment.

Aïnako se rendit compte qu'effectivement,

à force d'entortiller ses cheveux autour de ses doigts, elle se les arrachait par mèches entières. Olian lui prit la main pour l'obliger à arrêter. Il souriait. Légèrement rougissante, elle n'entendit pas Naïké s'approcher d'eux et sursauta quand elle posa une main sur son bras.

— Ah oui, c'est vrai, fit-elle avec une grimace en se rappelant qu'Éléssan voulait qu'elle vole en tête avec lui et Naïké.

Elle laissa donc son amie l'entraîner au sommet de l'arbre où le commandant les attendait.

— Je sais que tu détestes te retrouver au centre de l'attention, dit-il avec un sourire malicieux, mais ta mère ne me pardonnerait jamais de te faire voler à l'arrière du peloton pour ton retour triomphal dans la cité qui t'a vue naître.

Aïnako émit un rire nerveux. Elle avait presque plus peur de rencontrer sa mère qu'elle avait craint d'affronter Taïs.

— Tout va bien aller, dit Éléssan avec le regard apaisant dont il avait le secret.

Elle se sentit un tout petit peu moins terrifiée. Au moins, ses amis seraient avec elle. Ils lui avaient promis qu'ils ne la lâcheraient plus d'une semelle et qu'ils la suivraient partout où elle irait, même quand elle devrait retourner en Shamguèn. Éléssan avait même exigé d'être le chef de sa garde personnelle. Il riait, mais

Aïnako savait qu'il ne plaisantait qu'à moitié et elle avait bien failli en pleurer de joie.

— Vous viendriez vraiment vivre en Shamguèn avec moi ? avait-elle demandé, incrédule.

— Bof, avait répliqué Éléssan avec un sourire en coin, il faut croire qu'on s'est accommodés à ta présence.

Et Naïké s'était écriée, insultée :

— Tu crois vraiment qu'on accepterait d'être séparés de toi ? On te suivra de force s'il le faut, mais il est hors de question que tu ailles t'amuser seule à la cour de Shamguèn. Taïs a beau être une vieille sorcière maléfique, on dit que personne n'organise de fêtes aussi grandioses que les siennes. C'est vrai, je t'assure, c'est ce qu'on dit !

Aïnako avait ri sans pouvoir s'arrêter. À la fin, elle ne savait même plus pourquoi elle riait, probablement juste de joie parce qu'Éléssan et Naïké riaient avec elle et qu'il lui semblait qu'ils n'avaient pas ri ensemble depuis des siècles.

Elle hocha la tête et, comme s'il s'agissait d'un signal, Éléssan s'envola en faisant signe à ses soldats de le suivre. La troupe se posa dans l'arbre où se cachait la seule porte d'entrée menant à Lilibé. Une sentinelle sembla alors surgir du néant pour s'entretenir avec lui. Aïnako en profita pour glisser à l'oreille de Naïké :

— Tu crois que ma mère le remarquerait, si je demandais à Kaï de jouer mon rôle ? Elle ne la connaît pas et, la dernière fois qu'elle m'a vue, j'avais à peine quelques mois ; ça pourrait très bien marcher.

Naïké fit semblant de réfléchir :

— Et Olian, tu crois qu'il le remarquerait ?

Aïnako prit une mine outrée et lui donna un coup de poing amical sur l'épaule. Elle aurait même volontiers éclaté de rire en la voyant faire semblant de souffrir le martyre si Éléssan n'était pas revenu à ce moment-là.

— Prête ? demanda-t-il.

Elle déglutit en refaisant encore sa queue de cheval et opina une fois de la tête. Les deux autres lui prirent chacun une main, comme quand elle était petite et qu'ils allaient se promener dans les bois. La clameur générale qui les assaillit quand ils pénétrèrent dans la cité la fit tressaillir. Il y avait des elfes partout, perchés dans les arbres, entassés sur les ponts suspendus, voletant sur place ou en cercles au-dessus des branches. Tous criaient leur joie de revoir les soldats.

Ils s'avancèrent au milieu de la foule qui se fendait en deux pour les laisser passer et se ressoudait derrière eux pour les suivre. Ils se posèrent sur une plateforme toute décorée de rubans et de lampes multicolores. Une elfe à la longue chevelure rouge sombre qui flottait en boucles légères autour de son visage vert pomme s'avança vers eux. Ses ailes ambrées où s'entrelaçaient de minces lignes brunes et beiges fouettaient doucement l'air dans son dos. Elle se posa devant les soldats et son regard bleu étincelant s'arrêta sur Aïnako.

Le sourire de Silmaëlle s'allongea et Aïnako se surprit à sourire à son tour. Les yeux de sa mère étaient pleins de tendresse et d'humilité, et elle se rendit compte qu'elle avait dû redouter ce moment autant qu'elle-même. Sa mère ne s'était pas servie d'elle; elle en avait maintenant la conviction. Aïnako avait cru qu'elle se retrouverait devant une inconnue, mais elle avait partagé trop de ses souvenirs et de ses peines pour qu'elle soit une étrangère. Elle ne ressentait même pas le besoin de combler le silence qui s'était installé. Elle pensa à tout ce qu'elle aurait à raconter à Chloé lorsqu'elle la reverrait. Il s'était passé tellement de choses depuis son départ! Mais, au fond, elle n'avait pas vraiment changé. Novembre n'avait pas disparu et ne disparaîtrait jamais.

Cette pensée la fit rire et son rire se propagea comme une pluie d'étincelles dans l'air ensoleillé de la cité.

## LISTE DES PERSONNAGES

**Aïnako** : Elfe, princesse du royaume d'Élimbrel, fille de Silmaëlle. Elle a été élevée par sa tante, tatie Vivi, sous une forme humaine et en répondant au nom de Novembre.

**Chloé** : Humaine, amie de Novembre, alias Aïnako.

**Davnar** : Gnome, lieutenant de l'armée d'Okmern.

**Éléssan** : Elfe, commandant de l'armée d'Élimbrel, il a joué le rôle de cousin d'Aïnako au cours des premières années de sa vie.
**Erkor** : Gnome, commandant de l'armée d'Okmern.

**Fælkor** : Fils de Taïs.

**Goneïa** : Elfe, soldat de l'armée d'Élimbrel et guérisseur.

**Handur** : Elfe, soldat de l'armée d'Élimbrel et enseignant à l'Académie militaire.

**Iriel** : Elfe, ancien commandant de l'armée d'Élimbrel.

**Jorik** : Gnome, soldat de l'armée d'Okmern, dévoué à la princesse Varénia.

**Kaï** : Elfe sauvage qui se prétend la fille naturelle de Tsamiel et qui convoite le trône d'Élimbrel.
**Karask** : Gnome, soldat de l'armée d'Okmern, dévoué à la princesse Varénia.

**Loukim** : Gnome, soldat de l'armée d'Okmern, dévoué à la princesse Varénia.

**Maë** : Surnom de Silmaëlle.
**Melkor** : Gnome, ancien roi du royaume d'Okmern, père de Valrek et de Varénia.
**Mygale** : Surnom de Naïké.

**Naïké** : Elfe, guerrière à la solde de l'armée d'Élimbrel, elle a joué le rôle de cousine d'Aïnako au cours des premières années de sa vie.
**Néréli** : Elfe, mère de Silmaëlle, grand-mère d'Aïnako, jadis reine du royaume d'Élimbrel, elle a été tuée lors de combats contre l'armée de Taïs.

**Novembre** : Nom humain d'Aïnako.

**Olian** : Elfe, neveu de Naïké, soldat de l'armée d'Élimbrel.
**Omkia** : Gnome, soldat de la garde rapprochée de Valrek.

**Païlia** : Elfe, ancienne liaison de Fælkor.

**Roljem** : Gnome, soldate de l'armée d'Okmern, dévouée à la princesse Varénia.

**Silmaëlle** : Elfe, reine du royaume d'Élimbrel, fille de Néréli et mère d'Aïnako.

**Taïs** : Elfe, ancienne princesse du royaume d'Élimbrel, révoltée contre la dynastie qui règne sur le royaume. Elle a créé le royaume de Shamguèn, dont le seul but est de lutter contre Élimbrel.
**Tsamiel** : Elfe, sœur cadette de Taïs, ancienne reine du royaume d'Élimbrel.

**Valrek** : Gnome, roi du royaume d'Okmern, qui se trouve en partie sous le royaume d'Élimbrel.
**Varénia** : Princesse gnome du royaume d'Okmern, sœur de Valrek.

**Vivi (Tatie)** : Tante d'Aïnako. Née elfe, elle a choisi de vivre sous une forme humaine. C'est elle qui a élevé Novembre, alias Aïnako.

**Zoïrim** : Elfe, ambassadeur royal de Silmaëlle.

# TABLE DES MATIÈRES

AÏNAKO

AÏNAKO
1. La voleuse de lumière
ÉDITIONS
MICHEL
QUINTIN
ARIANE
CHARLAND

Tome 1

AÏNAKO
2. Le sang des gnomes
ÉDITIONS
MICHEL
QUINTIN
ARIANE
CHARLAND

Tome 2

Ce livre a été imprimé sur du papier contenant 100 %
de fibres recyclées postconsommation, certifié Écolo-Logo
et Procédé sans chlore et fabriqué à partir d'énergie biogaz.